Curso Práctico de Español para Mayores

Also from ST(P):

Guide to Spanish Idioms   Guía de Modismos Españoles
    Raymond H. Pierson

Spain after Franco — language in context
    Juan Kattán–Ibarra and Tim Connell

The Spanish Verb
    Tim Connell and Elizabeth van Heusden

Jaguar Readers
    El Enredo (A.M. Kosnik)
    El Ojo de agua (A. Schrade)
    Un Verano Misterioso (A.M. Kosnik)
    La Herencia (R. Hernández de Escebar)

Guide to Correspondence in Spanish
    Mary H. Jackson

Complete Handbook of Spanish Verbs
    Judith Noble and Jaince Lacasa

Working with Spanish
    Juan Kattán-Ibarra and Tim Connell

Curso Práctico de Español para Mayores

Monica Wilden-Hart, M.A. (Cantab.)
Formerly Senior Spanish Mistress,
Cheltenham Ladies' College

Stanley Thornes (Publishers) Ltd

First published 1983 by
Stanley Thornes (Publishers) Ltd
Old Station Drive
Leckhampton
CHELTENHAM   GL53 0DN

Revised and updated edition 1986

British Library Cataloguing in Publication Data

Wilden-Hart, M.
    Curso práctico de español para mayores.
    1. Spanish language—Grammar—Examinations,
    question, etc.
    I. Title
    468.2'421   PC4112

    ISBN 0-85950-524-3

Computerset by Promenade Graphics Ltd, Block 23A Lansdown Industrial Estate,
Cheltenham
Printed and bound in Great Britain by Ebenezer Baylis & Son Ltd, Trinity Press, Worcester
and London

Contents

Introduction

As the title suggests, this course has been devised for those who wish to begin the language in the sixth (or fifth) forms of schools, or in sixth form colleges, and for adults. The Lessons are deliberately fairly intensive, to allow rapid progress. Experience with test classes suggests two or three teaching periods a week over two years, or five or six a week over one year. The course has been designed to be equally suitable as a preparation for first examinations and for students with no examination in mind, but requiring a basic knowledge for practical use, perhaps as visitors to Spain or Latin America.

The vocabulary of over 2000 words and phrases is related to everyday life, and the reading passages will teach a good deal about Spain and provide scope for the teacher to enlarge upon topics briefly referred to, in accordance with the particular interests of the students. Ideas for oral practice are included in each lesson.

I am indebted to Jennifer Boyce, who compiled the vocabulary lists for me, and to my former colleague Helen Dodd, for her very helpful suggestions for improvement of the first draft, arising from her use of the course with some of her classes. I should like also to thank Phyllis Parsons and Susan Manning, for their patient help with typing, and my husband, for reading the proofs. Finally, I acknowledge the value to me of several classes of my students who, by studying from this course, helped me to shape it. Their interest and enthusiasm and the success in O-level of those who have taken the examination, have provided the 'proof of the pudding'.

MONICA WILDEN-HART

Acknowledgements

The Author and Publishers gratefully acknowledge permission to reproduce copyright material from the following sources:

Poems on pp. 144 and 172: *Penguin Book of Spanish Verse*
Poems on pp. 155 and 164: *Harrap Anthology of Spanish Poetry*

The illustrations throughout the book and on the cover are by Angela Lumley.

Lesson One

Pronunciation and Spelling

The Spanish alphabet differs from the English one:

CH counts as a separate letter, and follows C in the alphabet (*ch* as in 'church')

LL counts as a separate letter, and follows L in the alphabet (as *lli* in 'million')

Ñ is a separate letter, and follows N in the alphabet (as *ni* in 'onion').

There is no K, and no W. (These letters appear in a few words of foreign origin.)

PH, SH, TH are never used (the sound of English PH is rendered by F).

The only possible double consonants are:

CC (as *kth* in 'quickthorn')
LL (see above)
RR (longer trill than R)
NN in a very few words such as *innumerable*, where IN is a prefix.

For example:

chico, calle, niño, fotografía, lección, burro

B and V have the same sound, which is near to the sound of English B
CE and CI, and ZA, ZO, ZU — the C or Z is sounded as *th* in 'Thursday'
  (Z is never used before E or I)
CA, CO, CU and QUE, QUI — the C or QU is sounded as English K
  (QUA, QUO are not used)
D is pronounced similarly to *th* in 'this'
GE, GI and J — the G or J is sounded as *ch* in 'Loch Ness'
GA, GO, GU — the G is sounded as G in English 'garden'
H is silent — it is the only unsounded letter in Spanish
R is trilled on the tip of the tongue — this is important, and needs practice
S is slightly slurred, but not to the extent of resembling English SH
Y is sounded as in 'yellow', but not as in 'polythene' (except when it stands alone, and means 'and')

1

For example:

> beber, volver, cebra, Pacífico, cabra, como, cubo, quedo, conquista-
> dor, dar, dedo, coger, Gibraltar, hijo, jefe, pero, perro, los dos,
> puesto, yogurt, pan y vino

The vowels A, E, I, O, U are all somewhat broader in sound than in English.

Stress and Accents

Words ending in a vowel or N or S are normally stressed in the last-but-one syllable: **España, grande, moderno, estamos, tienen.**

Words ending in a consonant other than N or S are normally stressed on the last syllable: **Gibraltar, principal.**

Accents are used: (1) to show abnormal stress, (2) to separate two vowels which would otherwise form a diphthong (one syllable), (3) to distinguish between certain words otherwise spelt the same (without altering the sound). For example:

(1) **está, también, útil, jóvenes**
(2) **el país, el día, Duero, la fiesta, la grúa** (the vowels I and U normally combine with an adjacent vowel to form a diphthong)
(3) **el río** (the river), **él es** (he is); **si** (if), **sí** (yes)

Gender of Nouns

Nouns in Spanish are either masculine or feminine. Most nouns ending in A are feminine, most ending in O are masculine. Note exceptions as they are met.
Compile a list of masculine nouns ending in A, for example,
el día   the day   **el artista**   the artist

Articles

Articles show the gender and number of the nouns they precede:

Definite Articles

Singular | | *Plural* |
---|---|---|---
m. **el país** | the country | **los países** | the countries
f. **la universidad** | the university | **las universidades** | the universities

Note: **el** is used before feminine singular nouns beginning with stressed **a** or **ha**: **el agua** the water.

Indefinite Articles

Singular | | *Plural* |
---|---|---|---
m. **un muchacho** | a boy | **unos muchachos** | some boys
f. **una fiesta** | a holiday | **unas fiestas** | some holidays

Note: **de el** (of the) is contracted to **del** before a masculine singular noun, and **a el** (to the) is contracted to **al** in a similar position.

The definite article   is needed in Spanish before a noun used in a general sense, for example:

los estudiantes son jóvenes   students are young
las montañas son altas   mountains are high

The indefinite article   is omitted after a negative verb, for example:

no hay ríos   there are no rivers
Gibraltar no tiene ríos   Gibraltar has no rivers

3

Plurals of nouns

These are formed by adding S to a noun ending in a vowel, or ES to a noun ending in a consonant; for example:

el estudio	the study
los estudios	the studies
la universidad	the university
las universidades	the universities
el país	the country
los países	the countries

Final Z changes to C, then ES is added, thus:
el pez (the fish); **los peces** (the fishes).

Verbs

There are three conjugations of regular verbs in Spanish. They will be introduced in Lesson 2. The three very common verbs in this Lesson all have some irregularities.

Subject pronouns   are used only when needed to clarify meaning or to emphasise. Thus, use **tengo** (I have), rather than **yo tengo**, unless you mean '*I* have'.

To be   There are two verbs 'to be' in Spanish. They are used in different circumstances:

> **SER** for definitions, and what is permanent
> **ESTAR** for place, and what is temporary

For example:

Soy Juan	I am John
El Duero es un río	The Duero is a river
La montaña es alta	The mountain is high
Están en España	They are in Spain
María está ocupada	Mary is busy

Other uses of these two verbs will be learnt later.

To have   There are also two verbs 'to have'. **TENER** is used for 'to have' meaning 'to possess'. The other verb, **HABER**, is used to form compound tenses (see Lesson 11). But the word **hay** (there is, there are) comes from this verb.

Adjectives

Adjectives agree in number and gender with the nouns they qualify.

Form the plural of adjectives in the same way as that of nouns. For example:

bueno	**buenos**	(good)	**linda**	**lindas**	(pretty)
joven	**jóvenes**	(young)	**libre**	**libres**	(free)

Form the feminine of adjectives by changing final O to A. Adjectives ending in any letter other than O do *not* change for the feminine, for example:

guapo (m)	**guapa** (f)	handsome	**útil** (m)	**útil** (f)	useful
bueno (m)	**buena** (f)	good	**grande** (m)	**grande** (f)	large

Note: Adjectives of nationality add A for the feminine, even if the masculine does not end in O, for example:

italiano italiana (Italian)
español española (Spanish)

Capital letters are not used for words of nationality in Spanish.

Position of adjectives Adjectives normally follow the nouns they qualify. (Some exceptions will be discussed in Lesson 17.) For example:

un día libre a free day   **un profesor bueno** a good teacher

5

La tuna universitaria

Negatives

These are formed by putting **NO** before the verb, for example:

son guapos	they are handsome
no son guapos	they are not handsome
María es linda	Mary is pretty
María no es linda	Mary is not pretty

Questions

These are formed by inverting the subject and verb, for example:

¿Es Juan un profesor?   Is John a teacher?
(Note the use of two question marks.)

Note that, because subject pronouns are not often used, there may be no subject word, for example:

¿Estamos en Portugal?   Are we in Portugal?

VERBS

SER	ESTAR	TENER
(to be)	(to be)	(to have)
yo *soy* español	estoy en España	tengo
tú *eres* español	estás en España	tienes
él *es* español	está en España	tiene
ella *es* española		
nosotros *somos* españoles	estamos en España	tenemos
nosotras *somos* españolas		
vosotros *sois* españoles	estáis en España	tenéis
vosotras *sois* españolas		
ellos *son* españoles	están en España	tienen
ellas *son* españolas		

7

España es un país grande. Está en el oeste de Europa. La capital de España es Madrid. Madrid está en el centro del país. Es una ciudad grande y moderna. Tiene muchos edificios modernos.

Soy Juan. Soy español. No estoy en Madrid; estoy en Barcelona, en la costa del Mediterráneo. Estoy en Barcelona con María. Ella es española también. Somos españoles y estamos contentos de estar en España. Somos estudiantes de la famosa universidad en el centro de la ciudad. Tenemos profesores muy buenos.

Yo soy un muchacho y ella es una muchacha. Ella es linda pero yo no soy guapo. Somos jóvenes. Hoy es fiesta y estamos libres. No estamos ocupados con los estudios. En España hay muchas fiestas. Los días de fiesta están libres casi todos: los hombres, las mujeres y los niños.

María es de Zaragoza. Zaragoza está a orillas de un río principal: el Ebro. Los ríos principales de España son el Duero, el Tajo, el Guadalquivir, la Guadiana y el Ebro. Las montañas principales son los Pirineos, los Montes Cantábricos, el Guadarrama, la Sierra Morena y la Sierra Nevada. En el centro hay la Meseta Central. España tiene pocos ríos y muchas montañas.

Los países vecinos de España son Francia, Portugal, Andorra y Gibraltar. Son provincias de España las Islas Baleares y las Canarias también.

--------EXERCISES--------

1. Learn the verbs set out above.

2. Learn the vocabulary of this lesson.

Note: These instructions apply to each lesson.

3. Answer in Spanish:
   a) ¿Está Madrid en Andorra?
   b) ¿Es Juan una muchacha?
   c) ¿Estamos en Francia?
   d) ¿Es grande Portugal? ¿Y Gibraltar?
   e) ¿Son ríos el Guadarrama y el Tajo?
   f) ¿Eres español?
   g) ¿Soy yo estudiante? ¿Y vosotros?
   h) ¿Está Zaragoza en el centro del país?
   i) ¿Somos guapos?
   j) ¿Están Juan y María en la capital?

4. Insert the correct verbs to complete these sentences:

    a) Barcelona _____ una ciudad. _____ una universidad famosa.
    b) Tú _____ un estudiante. Yo no _____ la profesora.
    c) Juan y yo _____ en la universidad.
    d) Yo _____ contento de _____ con Juan.
    e) Tú _____ en Francia.
    f) Los estudiantes no _____ contentos. No _____ profesores buenos.
    g) España no _____ en Africa.
    h) ¿ _____ españoles vosotros?
    i) La universidad de Barcelona _____ importante. _____ muchos estudiantes.
    j) María _____ ocupada con los estudios.

5. Put the correct form of the adjective in these sentences:

    a) Juan es (español); María es (español); son (español).
    b) Vigo es una ciudad (principal); Madrid y Toledo son ciudades (principal).
    c) La montaña es (grande); es (famoso) también.
    d) Los muchachos están (contento) de estar en la capital (moderno).
    e) Hoy es fiesta; estamos (libre).
    f) Juan es (joven) y María es (joven) también.
    g) La muchacha está muy (ocupado). Tiene (mucho) estudios.
    h) Madrid es una ciudad (lindo). Hay (mucho) ciudades lindas en España.
    i) Tenemos (poco) fiestas.
    j) Las muchachas (español) son (guapo).

6. Give the plural forms of:

    el río; la montaña; la capital; el estudiante; el español; la costa linda; la ciudad principal; el estudio importante; la universidad moderna; el país famoso.

7. Give (a) the negative and (b) the interrogative forms of the following phrases (for example: Eres guapo   no eres guapo   ¿eres guapo?):

    Soy español; estás contento; la universidad es buena; Vigo está en la costa.

8. Make a map of the Iberian Peninsula, showing the main rivers and mountains, adjacent countries and seas, and the towns mentioned above. Add to the map further towns as you encounter them, using Spanish forms of names where they differ from English.

9. Oral work: Say what you can about yourself in five short sentences in Spanish.

9

Lesson 2

Regular Conjugations of Verbs

There are three conjugations of verbs in Spanish, with infinitives ending in **–AR**, **–ER**, **–IR**. Most verbs follow the pattern of **hablar**, **comer** or **vivir**. Those which are irregular will be introduced from time to time (see Tables, pp.180–1).

The 'Personal *A*'

The preposition **a** usually means 'to' but is in this case *not* to be translated into English. The preposition **a** is used before all direct objects (of verbs other than **tener** (to have)) referring to definite persons. For example:

    Visito a mis abuelos   I visit my grandparents
    Hallo a María en el jardín I find Maria in the garden

Numbers 1 to 10

Only **uno** (one) has a feminine form, **una**.

1	uno, una	6	seis
2	dos	7	siete
3	tres	8	ocho
4	cuatro	9	nueve
5	cinco	10	diez

Collective Plurals (Relations)

The masculine plural form is used to refer to relations of both genders:

el padre, la madre, los padres (parents)
el tío, la tía, los tíos (uncle(s) and aunt(s))

Punctuation

Note the use of ¿ . . . ? and ¡ . . . !, for example:

¿Hablas español?   Do you speak Spanish?
¡Buenos días!   Good morning!

and the dash — to introduce direct speech, for example:

—Gracias, contesta   "Thank you," he answers.

Possessive Adjectives

mi, mis	my	**nuestro, nuestra, nuestros, nuestras**	our
tu, tus	your	**vuestro, vuestra, vuestros, vuestras**	your
su, sus	his, her, its	**su, sus**	their

(*Note*: A further meaning of **su** will be learnt in Lesson 4.)

These adjectives agree with the *possession*, for example:

Esperamos a nuestro *nieto*   We expect our grandson
Juan habla a *sus primos*   Juan speaks to his cousins

Possessive Construction

***El padre de mi primo* es mi tío**   My cousin's father is my uncle
Escucho a *la criada de mi abuela*   I listen to my grandmother's maid

11

Words of Nationality

(1) No capital letter is used, either for nouns or adjectives.
(2) All adjectives of nationality have a feminine form ending in **–A**.
(3) The language itself is called by the masculine form of the adjective. For example:

Hablo español (no article is used with languages after **hablar**)	I speak Spanish
Comprendo el francés	I understand French
Escribo el italiano	I write Italian

(*Note*: **Escribo *en* italiano** (no article after **en**)   I write *in* Italian.)

Diminutives

The endings **–ITO**, **–ITA** are sometimes added to nouns to indicate smallness, for example, **Luisa, Luisita**, Louisa, little Louisa.

─────────VERBS─────────

The Three Regular Conjugations

Present Tense

HABLAR (to speak)	COMER (to eat)	VIVIR (to live)
hablo	como	vivo
hablas	comes	vives
habla	come	vive
hablamos	comemos	vivimos
habláis	coméis	vivís
hablan	comen	viven

LA FAMILIA

Visito a mis abuelos. No viven en Barcelona, pero el pueblo donde viven no está lejos. Su casa está cerca de la parada de autobús. Mi abuela es la madre de mi padre. Tiene cinco hijos: mi padre (¡claro!), mi tío y mis tres tías. Todos mis tíos están casados, así que tengo muchos primos.

Cuando llego a la casa, llamo, y la criada abre la puerta.

—¿Están los señores? pregunto.

—Sí, señor, contesta ella.

Entro en la casa y hallo a mi abuelo en la sala de estar.

—¡Hola, Juan! ¡Es una sorpresa! grita el viejo.

—¿Una sorpresa? ¿Por qué?

Mi abuelo abre la ventana y llama a mi abuela. (Está ella en el patio.)

—Mercedes, querida, ¿esperamos a Juan? Aquí está.

—¡Claro está! Juan come aquí hoy. Tú olvidas todo. Hay otros invitados también: nuestra hija Luisa con sus hijos Luisita y Carlos.

—Bueno, bueno, contesta el abuelo. —Luisita es mi nieta favorita, porque es la menor.

Cuando llegan los otros, comemos todos los seis. Es una comida sencilla, y bebemos agua, pero después mi abuelo toma un coñac con su café, y yo también. Durante la comida hablamos de cosas de la familia, y cambiamos noticias. Carlos aprende el inglés en el instituto y halla la lengua muy difícil. Recibe una carta cada semana de su hermana mayor. Ella está en Inglaterra y escribe en inglés. Trabaja allí. Carlos desea viajar también. Mi tía visita muchas veces a sus hermanos y su conversación está llena de detalles de todos los parientes.

Escucho fascinado su comentario: el matrimonio de una, el novio de otra, sus sobrinos están en Italia, el nuevo bebé de Conchita es muy lindo, hay problemas con los obreros en la fábrica de mi tío Augusto, etcétera, etc.

13

1. Put these sentences into the plural:

   a) La fábrica está en la ciudad.
   b) Mi tío come y bebe mucho.
   c) Hay un estudiante en la universidad.
   d) La sorpresa no es buena.
   e) Hablo inglés, no hablo español.
   f) ¿Vives en una casa grande?
   g) ¿Aprende la lengua en el instituto?
   h) No estoy contento de estar libre.
   i) Tu sobrino cambia noticias con tu abuela.
   j) Recibes a mi hermana en la sala de estar.

2. Write questions to which these could be the answers:

   a) No, vivo en la capital.
   b) Sí, en mi familia hay nueve hijos.
   c) Sí, bebo agua, pero no bebo coñac.
   d) No, nuestros hermanos no son guapos.
   e) Sí, escribes la carta a tu primo.

3. Complete the following:

   Dos y dos son _____; dos y tres son _____; tres y uno son _____; cuatro y dos son _____; cinco y cinco son _____; cinco y dos son _____; cuatro y cuatro son _____; cinco y cuatro son _____.

4. Give the feminine form of the following:

   lindo; principal; modernos; favorito; inglés; españoles; libre; fascinados; grandes; sencillo.

5. Complete the following:

   a) El padre de mi madre es mi _____.
   b) El hijo de mi hermano es mi _____.
   c) Las hermanas de mi padre son mis _____.
   d) La hija de mis tíos es mi _____.
   e) Los hijos de mis padres son mis _____.

6. Translate into Spanish:

   a) He calls his father.
   b) They receive the letter. They welcome (receive) Carlos.
   c) The maid opens the window.
   d) I speak to Luisa. I speak English.
   e) You listen to your cousins. You visit your cousins.

f) We listen to Juan. We listen to the news.

g) He expects Juan. He expects to travel.

h) You write a letter. You write to Luisa.

i) We have a lot of nieces. I have an English friend.

j) Do they visit their uncle? No, they have no uncle.

7. Answer in Spanish:

a) Juan, ¿visita a sus padres?

b) ¿Tienen sus abuelos muchos hijos?

c) ¿Viven los abuelos en Barcelona?

d) ¿Abre el abuelo la puerta de la casa?

e) ¿Está el abuelo en el patio?

f) ¿Es Mercedes la tía de Juan? ¿Es Luisa su tía?

g) ¿Beben todos coñac con su café?

h) ¿La hermana de Carlos, ¿trabaja en España?

i) ¿Tiene Conchita un hijo?

j) ¿Hay estudiantes en la fábrica?

8. Complete these sentences in Spanish:

Example: El amigo de Juan es _____ amigo; El amigo de Juan es SU amigo. Tengo un tío; es _____ tío. Es MI tío.

a) La criada de Mercedes es _____ criada.

b) Los nietos de la abuela son _____ nietos.

c) Tengo un sobrino; es _____ sobrino.

d) Tienes dos hermanas; son _____ hermanas.

e) Tenéis un jardín; es _____ jardín.

f) Tenemos una casa; es _____ casa.

g) El sobrino de María es _____ sobrino.

h) La novia de Carlos es _____ novia.

i) Tengo dos hijas: son _____ hijas.

j) Tienen una fábrica; es _____ fábrica.

9. Oral work: Enact the conversation during the family lunch.

Lesson 3

---GRAMMAR---

Questions

The interrogative words **¿dónde?** (where?), **¿qué?** (what?), **¿quién?** (who?), **¿cómo?** (how?), **¿cuándo?** (when?), **¿cuál?** (which?), **¿cuánto?** (how much?), all bear accents on the normally stressed syllable to distinguish them from the relative uses of the same words.

Similarly: **¿por qué?** (why?), but **porque** (because).

Some of these have plural forms and feminine forms:

> **¿quién? ¿quiénes?**
> **¿cuál? ¿cuáles?**
> **¿cuánto? ¿cuánta? ¿cuántos? ¿cuántas?**

Note also: ·

> **¿de quién?** (whose?), **¿a quién?** (whom?)

For example:

¿Qué haces?	What are you doing?
¿Dónde está la criada?	Where is the maid?
¿A quién visitas?	Whom are you visiting?
¿De quién es el cuarto grande?	Whose is the large room?

This applies also in indirect questions:

> **No comprendo** *por qué* **están aquí**   I don't understand why they are here

The Time (see Numbers)

To express time use the verb **SER**. For example:

Es la una	It is one o'clock (singular)
(**la una** because **la hora** (hour) is understood)	
Son las dos	It is two o'clock (plural)
Son las diez, etc.	
Son las tres y media	It is half past three

16

Son las cuatro y cuarto	It is a quarter past four
Son las nueve menos cuarto	It is a quarter to nine
Son las seis y diez	It is ten past six
Son las doce menos veinte	It is twenty to twelve
Es la una menos tres	It is three minutes to one
a **las siete**	*at* seven o'clock
a **las once y cinco**	*at* five past eleven

'In' the morning, etc., is expressed by **de** when the hour is stated, for example:

a las nueve *de* **la mañana**
a las cuatro de la tarde (afternoon)
a las siete de la tarde (evening)
a las once de la noche (night)

When the hour is not stated, 'in' is rendered by **por**, for example:

Trabajo *por* **la mañana**   I work in the morning

Note the phrase **a eso de** (about) (used only in expressions of time), for example:

Llega *a eso de* **las cinco**   He arrives at about 5 o'clock

Questions about time:

¿Qué hora es?	What time is it?
¿A qué hora . . . ?	At what time . . . ?
¿Qué hora tienes?	What time do you make it?

Relative Pronouns

que	who, whom, which, that (subject or object)
quien, quienes	who
a quien, a quienes	whom

Note:
(1)   After any preposition, 'whom' must be rendered by **quien, quienes**, for example:

La criada *con* **quien levanta la mesa**   The maid *with* whom she clears
the table

(2)   **Que** (that) is used to introduce a clause, for example:

Veo que ya son las ocho   I see that it is already eight o'clock

Inversion of Subject and Verb

In Spanish, avoid ending a clause or sentence with a verb. Instead, let the subject follow the verb, for example:

La impresión que da el exterior . . .

This is a matter of style rather than a fixed rule.

To Have To

Note the construction **tener que** followed by an infinitive ('to have to . . .'), for example:

Tenemos que viajar   We have to travel

Dependent verbs in Spanish are normally in the infinitive form.

Per Day

Note the construction:

una vez *por* **día**   once a (per) day
tres veces *por* **año**   three times a year

Numbers 11 to 21

Note: **dieciséis**, etc., is preferred to **diez y seis**, etc.

11	**once**	16	**dieciséis** OR **diez y seis**
12	**doce**	17	**diecisiete** OR **diez y siete**
13	**trece**	18	**dieciocho** OR **diez y ocho**
14	**catorce**	19	**diecinueve** OR **diez y nueve**
15	**quince**	20	**veinte**
		21	**veintiuno** OR **veinte y uno**, etc.

Apocopation

In Spanish, certain adjectives may be shortened. When *the next word* is a masculine singular noun, these adjectives are shortened as follows:

uno: un patio	a courtyard
un instituto	a secondary school
¿Cuántos hijos tienes? Tengo un hijo	How many children have you? I have one child
bueno: el buen viejo	the good old man
alguno: Toma algún coñac (note accent)	He drinks (takes) some brandy
veintiuno: veintiún estudiantes (note accent)	twenty-one students

Similarly, **primero** (first), **tercero** (third) become **primer, tercer** (see Lesson 8).

Grande is shortened before a singular noun of *either* gender:

el gran instituto	the large school
la gran fábrica	the big factory

(**Gran** before a noun usually means 'great', 'famous' or 'good', see p.149.)

Similarly, **ciento** (a hundred) is shortened before plural nouns of *either* gender:

cien obreros	one hundred workers
cien casas	one hundred houses

VERBS

Present Tense

DAR (to give)	VER (to see)
doy	veo
das	ves
da	ve
damos	vemos
dais	veis
dan	ven

19

LA CASA

Vivimos en las afueras de la ciudad. Nuestro jardín delante de la casa está lleno de geranios rojos, de rosas y de claveles. También hay un limonero, que tiene pequeñas flores blancas. Da muchos limones. No hay otros árboles frutales, pero hay dos cipreses que dan sombra cuando brilla el sol. Nuestra casa está situada en una calle larga que tiene casas en los dos lados. Es bastante moderna. Es de ladrillo, con techo de tejas rojas. La impresión que da el exterior no es muy interesante.

Pero en el interior vemos que mi madre arregla todo de una manera muy buena. La casa está amueblada con mucha comodidad. La sala de estar, en el piso bajo, es donde recibimos a las visitas, y es bastante lujosa. En el piso bajo también están el comedor delante y el despacho de mi padre detrás. Pasamos mucho tiempo en el comedor, porque toda la familia come allí tres veces al día. Tomamos el desayuno a las ocho de la mañana, la comida a las dos y media de la tarde, y la cena a las diez. Después de la cena la criada, que ayuda a mi madre, levanta la mesa, y nosotros aguardamos un rato en el comedor a discutir los acontecimientos del día.

En el piso principal están los cuartos de dormir. Mi cuarto está al lado del cuarto de baño, a la izquierda de la escalera. A la derecha tienen mis padres su cuarto. A la derecha también está el cuarto de mis dos hermanas, que son muy jóvenes. El viejo jardinero, a quien veo siempre ocupado con sus flores, y la criada, que es su hija, no tienen cuartos en la casa, pero viven cerca.

La casa no tiene sótano, pero hay un desván donde guardamos las maletas que usamos cuando tenemos que viajar. Allí hay muchas otras cosas que guardamos "¡por si acaso!"

—EXERCISES—

1. Translate into Spanish the words in brackets:
    a) ¿(Where) trabaja tu padre?
    b) ¿(When) comen en el comedor?
    c) ¿(Why) aguardamos en el comedor después de la cena?
    d) ¿(What) guardáis en el desván?
    e) ¿(Who) son muy jóvenes?
    f) ¿(How many) convidados hay?
    g) ¿(Whom) vemos en la calle?
    h) ¿(Whose) es el cuarto grande?
    i) ¿(Who) ayuda a mi madre en la cocina?
    j) ¿(What) está en el piso bajo?
    k) ¿(Which) es su maleta?
    l) ¿(Which) son los geranios?

2. Answer, in Spanish, the questions in Exercise 1.

3. Write in Spanish:

At 10.00 a.m.	At 7.15 p.m.
At 2.45 p.m.	At 8.05 a.m.
At 5.20 a.m.	At 11.00 p.m.

It is 12.30 p.m.	It is 1.00 p.m.
It is 5.50 a.m.	It is 12.40 a.m.
It is 1.25 a.m.	It is 4.30 p.m.

21

4. Complete these phrases in Spanish:

el jardinero (who) trabaja; la criada (who) pone la mesa; las visitas (whom) recibimos; los claveles (which) están en el jardín; la cena (which) comemos; mi madre (whom) veo; tu padre (with whom) hablas; su hermano (beside whom) queda María; los acontecimientos (which) discutimos; la calle (which) es larga.

5. Answer in Spanish:

    a) ¿Qué hora es?
    b) ¿A qué hora comes en tu casa?
    c) ¿Dónde trabaja la criada?
    d) ¿Quién da claveles a tu madre?
    e) ¿Cuándo levantamos la mesa?
    f) ¿Está el jardín detrás de la casa?
    g) ¿A quién ves a la derecha de la puerta?
    h) ¿Qué es el comedor?
    i) ¿Cuántos hermanos tienes?
    j) ¿Quiénes son tus primos?
    k) ¿De qué color son los limones?
    l) ¿De qué color son los ladrillos?

6. Write in Spanish a description of the house or flat in which you live. (A flat: un piso, un apartamento.)

7. Oral work:

¿Qué ves por la ventana . . . ? Describe what you can see from the window of the classroom, of your own room at home, etc.

Question each other:

    —¿Ves un jardín por la ventana?
    —Sí, veo un jardín.
    —¿Qué hay en el jardín?
    —En el jardín hay tres árboles . . . etc.

Lesson 4

GRAMMAR

The 'Polite' Form of *You*

Tú and **vosotros** are used to address people to whom one speaks informally: close friends, members of one's family, children (and pet animals). Young people especially begin to use these familiar forms on quite brief acquaintance.

The 'polite' form of 'you', by which one addresses strangers or anyone to whom some deference and formality are due, is:

> **usted** (often written as **Vd.**)   singular
> **ustedes** (often written as **Vds.**)   plural

These pronouns take *3rd person* verbs and *3rd person* possessives (*su* amigo (*your* friend); for example:

> **Vd.** *es* absurdo
> **Vds.** mir*an* los escaparates
> **Vd.** escrib*e su* postal
> **Vds.** compr*an sus* libros
> **Vd.** com*e* y beb*e* mucho
> **Tengo mi libro, Vd. tiene** *el suyo*

Like other subject pronouns, they are often omitted, but they are used more than the others, in order to avoid confusion of meaning; for example:

> **Come el pan**   He/she/it eats the bread *or* You eat the bread
> **Vd. come el pan**   makes the sense clear (You eat the bread.)

23

Numbers 20 to 100, 1000, 2000, etc.

Note: **veintiuno**, etc., is preferred to **veinte y uno**, etc., but no single words for 31, 41, etc., exist.

Shortening to **veintiún**, etc., and **cien** should be noted (see Lesson 3).

20	veinte	200	doscientos, doscientas
21	veinte y uno, veintiuno (-a)	300	trescientos (-as)
22	veintidós ⎫	400	cuatrocientos (-as)
23	veintitrés ⎬ note accents	500	quinientos (-as)
26	veintiséis ⎭	600	seiscientos (-as)
30	treinta	700	setecientos (-as)
40	cuarenta	800	ochocientos (-as)
50	cincuenta	900	novecientos (-as)
60	sesenta	1000	mil
70	setenta	2000	dos mil
80	ochenta	31, etc.	treinta y uno etc.
90	noventa	1984	mil novecientos
100	ciento		ochenta y cuatro

Possessive Pronouns

el mío	la mía	los míos	las mías	mine
el tuyo	la tuya	los tuyos	las tuyas	yours
el suyo	la suya	los suyos	las suyas	his, hers, its, yours
el nuestro	la nuestra	los nuestros	las nuestras	ours
el vuestro	la vuestra	los vuestros	las vuestras	yours
el suyo	la suya	los suyos	las suyas	theirs, yours

These agree in number and gender with the noun they represent. (Compare possessive adjectives, Lesson 2.) For example:

Tengo mis diarios. ¿Dónde están los tuyos?	I have my papers. Where are yours?
Como mis frutas y él come las suyas	I eat my fruit and he eats his

After the verb **SER** the article is usually omitted, for example:

La casa es mía	The house is mine
Son nuestros sellos, no son suyos	They are our stamps, not theirs (yours)

Future Tense

Only one set of endings is used for all verbs. The future tense is formed in all regular verbs by adding the endings to the infinitive. It corresponds to the English 'I shall speak', etc.

Another way of expressing future time is, as in English, by using the verb 'to go' (**ir a**) followed by the infinitive of the main verb; thus:

Van a bailar por la tarde   They are going to dance in the evening

Uses of the Infinitive

The infinitive is used:

(1)   after a preposition, for example:

        después de comprar   after buying

(2)   for a second or dependent verb, for example:

        Deseo ver   I want to see

Note: After go, come, stay, etc., use **a** before the infinitive, for example:

        Aguardaremos a ver a Juan   We shall wait and see Juan
        Voy a cruzar la calle   I am going to cross the street

(3) as a masculine 'verb–noun', to name the action, for example:

        (El) escuchar discos es agradable   Listening to records is pleasant

        Cocinar no es fácil   Cooking is not easy

Comparatives of Some Common Adjectives

bueno, mejor	good, better
malo, peor	bad, worse
grande, mayor	large, larger
pequeño, menor	small, smaller

These forms are irregular. Regular comparatives will be met later.

Constructions With Tener

tener sed	to be thirsty
tener hambre	to be hungry
tener razón	to be right
tener ganas de	to feel inclined to . . .
tener suerte	to be lucky
tener sueño	to be sleepy
tener calor	to be hot (of a person)
tener frío	to be cold (of a person)
tener miedo	to be afraid
tener cuidado	to take care

For example:

Tenemos mucha sed   We are very thirsty

Time

Note the use of *por* la mañana, etc., instead of *de* la mañana when no precise time is mentioned (see Lesson 3). For example:

Por la tarde recibiremos a nuestros amigos	In the evening we shall welcome our friends
Llegarán a las nueve de la tarde	They will arrive at 9 o'clock in the evening

Present Tense

SABER	IR
(to know)	(to go)
sé	voy
sabes	vas
sabe	va
sabemos	vamos
sabéis	vais
saben	van

Future Tense

HABLAR	COMER	VIVIR
hablarÉ	comerÉ	vivirÉ
hablarÁS	comerÁS	vivirÁS
hablarÁ	comerÁ	vivirÁ
hablarEMOS	comerEMOS	vivirEMOS
hablarÉIS	comerÉIS	vivirÉIS
hablarÁN	comerÁN	vivirÁN

The future of **IR** is regular: **iré, irás**, etc. The future of **SABER** is irregular, and will be learnt later.

—————————LA CIUDAD I—————————

Voy a la ciudad: al centro. Tengo que comprar unos libros que necesito en mis estudios. Maria y yo estudiamos letras. Mi amigo Diego estudia derecho. Son muy caros los libros, pero hay una buena librería que da una rebaja a los estudiantes. Sabemos todos que vale la pena ir allí.

El autobús número treinta y dos va al centro, pero Diego y yo no tomamos el autobús. Vamos a pie. En la librería hablo con el vendedor:

—Buenos días. ¿Tiene Vd. (usted) las poesías completas de Góngora?

—Sí, señor. Tenemos dos ediciones. ¿Desea Vd. ver? Hay una con notas y una barata que no tiene notas.

—Tomaré la edición barata. Si no hay notas, escribiré las mías en los márgenes. También busco las comedias de Calderón. ¿Dónde están?

—Allí. Verá Vd. todas las obras del siglo diecisiete en una buena edición. Las suyas están al lado de la ventana. Son a trescientas sesenta el volumen.

27

Diego no compra libros. Va a una tienda de ultramarinos, o quizás a un supermercado. Por la tarde, recibiremos a seis amigos y amigas nuestros, y él compra los ingredientes de la cena que ofreceremos. Diego es un chico muy hábil—y algo raro—¡sabe cocinar a maravilla! Comeremos en su apartamento, porque el mío es demasiado pequeño. Después iremos al cine, o estaremos hasta tarde en el apartamento a escuchar discos y a bailar. Diego tiene un buen tocadiscos y una gran colección de discos. Yo también tengo unos cuarenta.

Después de comprar mis libros, voy a encontrar a Diego.

—¿Tienes todo? pregunto.

—Todo menos el pescado y las frutas. Serán mejores en el mercado.

—Pues, iremos allí. Pero primero tengo que ir a la casa de correos a enviar un certificado, después a la farmacia, después al banco . . .

—¡Uf, Juan! Y al museo, y a la tienda de modas, y al sastre, y a la biblioteca . . . ¡

—¡No! ¡Eres absurdo!

—Sin embargo voy yo a aguardar aquí. Miraré los televisores y los transistores en el escaparate del almacén allí al otro lado y después iré al café de la esquina. Tomaré una cerveza, porque tengo sed.

—Bien. ¡Hasta luego!

Diego cruza la calle en el paso de peatones, compra un diario y una postal con sello en el estanco, y va a tomar su bebida en la terraza de café, y a escribir su postal.

—¿Limpio los zapatos del señor? pregunta una voz ronca. (Es un limpiabotas.)

—No, gracias, contesta Diego. —Están bien.

───────────EXERCISES───────────

1. Put into the future tense:

   escribo la carta; comemos a las dos; habla francés; toman el autobús; arreglas todo; recibís a vuestros convidados; va al museo; viven en las Islas Baleares; no guardo mis libros en el gabinete; ¿viaja Vd. a Madrid?

2. Complete the following sentences with suitable possessive adjectives or pronouns, corresponding in each case to the subject of the verb:

   Example: Limpio _____ zapatos; Vd. limpia _____ _____.
                Limpio *mis* zapatos; Vd. limpia *los suyos*.

   a) Hablamos a _____ hermanos, y él habla a _____ _____.
   b) Vd. come _____ cena; yo no como _____ _____.
   c) Tú tienes _____ cuarto aquí; ella tiene _____ _____ allí.
   d) Ellas discuten _____ estudios, pero Vds. no discuten _____ _____.
   e) Vivís en _____ casa; Juan vive en _____ _____.
   f) Das los discos a _____ amiga; yo doy los libros a _____ _____.
   g) ¿Ve Vd. _____ maletas? Aquí tengo todas _____ .
   h) Van a ver a _____ tíos; tú no visitas a _____ _____.
   i) No saben el número de _____ autobús, pero nosotros sabemos el número del _____.
   j) Compraré _____ frutas y él comprará _____ _____.

3. Complete each of these sums, expressing the whole in words:

   10 y 5 son _____; 20 y 7 son _____; 20 y 20 son _____; 25 y 10 son _____; 31 y 28 son _____; 30 y 30 son _____; 60 y 14 son _____; 90 menos 4 son _____; 10 y 90 son _____; 109 menos 12 son _____.

4. Answer in Spanish:

   a) ¿Cuántas horas hay en un día?
   b) ¿Cuántos años hay en un siglo?
   c) ¿En qué siglo estamos?
   d) ¿Qué hora es?
   e) ¿A qué hora irá Vd. a su casa?
   f) ¿Cómo irá Vd.?
   g) ¿Cuántas personas hay en el cuarto?
   h) ¿Cuándo va Vd. a comer?
   i) ¿Bailarán los estudiantes por la mañana? ¿Cuándo bailarán?
   j) ¿Vive Vd. en el centro de la ciudad? ¿Dónde vive?
   k) ¿Qué hace Vd. cuando tiene hambre?
   l) Sé que Calderón es del siglo XV. ¿Tengo razón?

5. Change from the 'familiar' (*tú, vosotros*) to the 'polite' (*Vd., Vds.*) form:

tú hablas;   vosotros coméis;   vivirás aquí;   no tienes libros buenos;   ¿estáis contentos?   no darás las frutas a Diego;   ¿veis el televisor?   tú no sabes el número;   ¿no eres el vendedor?   iréis al mercado.

6. Answer in Spanish:

   a) ¿Adónde van los dos amigos?
   b) ¿Qué número de autobús va al centro?
   c) ¿Cuál de los dos muchachos va a la librería?
   d) ¿Qué comprará en la librería?
   e) Las obras de Góngora, ¿son comedias?
   f) ¿Cuánto valen las obras de Calderón?
   g) ¿A qué tienda va Diego?
   h) ¿Qué comprará en el mercado?
   i) ¿Por qué va Juan a la casa de correos?
   j) ¿Qué beberá Diego en el café? ¿Por qué?

7. Oral work: Enact the conversations of Diego and Juan in the shops they visit.

Lesson 5

─────GRAMMAR─────

Negatives

nunca	never (not . . . ever)
nadie	nobody
nada	nothing
ninguno(s), ningún, ninguna(s)	not any
tampoco	neither, not . . . either

These negative words follow the verb normally; for example:

No veo nada   I see nothing
No lo digo a nadie   I do not tell (it) to anyone

But they may precede the verb, for emphasis, in which case the **no** is omitted; for example:

Nunca hablo   I never speak

Nadie and **nada** may be the subject of the verb, in which case they precede it, for example:

Nadie sale   Nobody goes out

Object Pronouns

Object pronouns precede the verb, except in these forms: infinitive, present participle, positive command; here the pronoun is joined to the end of the verb, for example:

Voy a decirlo;   estoy comiéndolo;   tómalo

The command (imperative) forms will be learnt later.

Direct object		*Indirect object*	
me	**nos**	**me**	**nos**
te	**os**	**te**	**os**
le, lo, la (se)	**les, los, las (se)**	**le (se)**	**les (se)**

31

For example:

Me dice adiós	She says goodbye to me
Nos espera *or* **está esperándonos**	She is waiting for us

(Note: an accent must be added to a present participle when an object pronoun follows it, as here)

¿Conoces a María? Sí, la conozco	Do you know Maria? Yes, I know her
Le hablo	I speak to him/her/you

[**Se** is a reflexive form: himself, herself, itself, yourself, themselves. (See Lesson 6.)]

Direct object third persons:

le is used for 'him'
la is used for 'her' or 'it' (f.)
lo is used for 'it' (m.) but is also used for 'him', especially in Latin America. **Le** for 'him' is more correct.

The plural forms **les, los, las** are used correspondingly.
See the Table of Personal Pronouns (p. 183).

Vista general de Barcelona

The Verb Gustar

Gustar is used where in English 'to like' is used, but as **gustar** means 'to please', subject becomes object and vice versa. For example:

Me gusta el café	I like coffee
(Coffee pleases me)	
Le gustan las aceitunas	He likes olives
No nos gusta viajar	We do not like travelling
A María le gusta el vino	Maria likes wine
(note the pronoun **le** is needed	
as well as **a María**)	
A mi madre le gustan las rosas	My mother likes roses

Note: The *indirect* object pronoun is used.

Possessive Construction

Note this use of the possessive pronoun:

una amiga suya	a friend of hers/his/theirs/yours
unos folletos nuestros	some leaflets of ours

Colours

The adjectives of colour agree with the noun they qualify and normally follow it (see Special Word Lists, p. 184), for example:

las rosas rojas   red roses

Continuous Present Tense

As in English, the verb 'to be' + present participle (or gerund) can be used to form a continuous tense. The verb used in this case is always **ESTAR**.

Regular Present Participle (or Gerund) Formation

–AR verbs **–ando**

–ER
–IR } verbs **–iendo**

33

These endings are added to the stem of the infinitive, for example:

Estoy hablando I am speaking
Estás comiendo You are eating
Están viviendo They are living

Por and Para

These prepositions translate 'for', 'in order to', 'by', etc.

Use **para** for purpose, destination, benefit.

Use **por** for the agent in passive constructions, route, means, exchange, and in expressions of time, also as 'on behalf of'.
For example:

Trabajo para ganar dinero	I work to earn money
El autobús sale para Madrid	The bus leaves for Madrid
Lo hace para los viajeros	It does so (it) for the travellers
La carta es escrita por Ana	The letter is written by Anne
Vamos a España por Francia	We go to Spain via France
Viajo por coche	I travel by car
Cambio el disco por un libro	I exchange the record for a book
Por la tarde	In the afternoon
Voy a bailar por una hora	I am going to dance for an hour
Comprará las flores para su madre	He will buy the flowers for her mother
Compra el vino para su hermano	He buys the wine for (on behalf of) his brother

Other idiomatic uses of **por** and **para** will be met later.

Present Participles

HABLAR hablando   **COMER** comiendo   **VIVIR** viviendo

Present Tense

HACER	DECIR
(to make, do)	(to say, tell)
haGO	dIGO
haces	dIces
hace	dIce
hacemos	decimos
hacéis	decís
hacen	dIcen

Note that **HACER** is irregular only in the first person singular in this tense. Other verbs which are irregular only in the first person singular are:

PONER (to put)	**ponGO**, pones, etc.
CAER (to fall)	**caIGO**, caes, etc.
TRAER (to bring)	**traIGO**, traes, etc.
SALIR (to go out)	**saLGO**, sales, etc.
CONOCER (to know, get to know)	**conoZCO**, conoces, etc.
CONDUCIR (to lead, steer, drive)	**conduZCO**, conduces, etc.

Las Ramblas (Barcelona)

35

Estoy pasando unas semanas en casa de mis padres. (Estamos de vacaciones.)

—Juan, ¿qué haces en el cuarto de baño? Ya son las nueve. ¿Vas a salir? ¡No acabas nunca!

—Sí, Mamá, voy pronto. Es que tengo que afeitarme bien porque voy a encontrar a María, que me lleva a conocer a sus padres.

—Bien, pero no es preciso pasar toda la mañana allí dentro. Vas a salir tan limpio y tan perfumado que María no te reconocerá.

Le digo adiós a mi madre y voy a coger el autobús para el centro, en la parada. María me espera con una amiga suya en la acera delante del portal de la catedral. Su amiga dice que tiene que ir de compras para su madre y nos deja. Nosotros vamos a pasear un rato sin rumbo. Cruzamos plazas y calles hasta llegar a las Ramblas. En una encrucijada el guardia municipal que dirige la circulación nos grita que tenemos que aguardar su pito.

—¿Por qué me llevas a las Ramblas? pregunta María.

—Me gusta todo el bullicio y la gente tan variada—viejos y jóvenes, turistas y españoles. ¡Te compraré unas flores en uno de los puestos!

—Mejor, las comprarás para mi madre.

—Sí, bueno. ¿Sabes si le gustan las rosas?

—Las rosas rojas, sí, pero las rosadas o amarillas no.

Continuamos nuestro paseo entre la multitud de gente: los vendedores de lotería, las mamás con sus niños, algunos mendigos, los sacerdotes que van hacia la iglesia, un hombre que ofrece folletos para un teatro, un cartero que recoge las cartas de un buzón. Vemos a unos limpiabotas que trabajan con sus cepillos bajo los árboles. Pasa delante de ellos una pareja de guardias civiles con sus sombreros tricornios, entre los ociosos que no hacen nada, los hombres de negocios que van con paso rápido a sus oficinas, y las mujeres que miran los artículos de lujo en los escaparates de las tiendas de modas o las joyerías.

Estamos tan preocupados que no notamos cómo pasa el tiempo . . .

—¡Juan! ¡Ya son las doce y media! Mis padres nos esperan a la una. Tenemos que correr.

—Tomaremos por una vez un taxi. Te invito. No me gusta llegar tarde y todo despeinado. Tengo que causar buena impresión cuando viendo a tus padres por primera vez. Están hospedados en el Hotel Magnífico, ¿no es así?

1. Put into the future tense:

    a) Estoy pasando unas semanas en casa de mis padres.
    b) Ya son las nueve.
    c) ¡No acabas nunca!
    d) María me lleva a conocer a sus padres.
    e) Vamos a pasear un rato.
    f) El guardia dirige la circulación.
    g) Un cartero recoge las cartas del buzón.
    h) No me gusta llegar tarde.
    i) Veo a tus padres por primera vez.
    j) Quedáis en el hotel.

2. Answer in Spanish (use object pronouns in your answers where suitable):

    a) ¿Dónde está Juan? ¿Qué hace?
    b) ¿A quién va a encontrar, y dónde?
    c) ¿De qué color son las rosas que le gustan a la madre de María?
    d) ¿Dónde las compra Juan?
    e) ¿Qué hace un limpiabotas? ¿Hay limpiabotas en Inglaterra?
    f) ¿Por qué toman Juan y María el taxi?
    g) ¿Los padres de María, están en su casa?
    h) ¿A qué hora esperan a los jóvenes?
    i) ¿Qué ponemos en un buzón?
    j) ¿Dirigen la circulación los guardias civiles?

3. Translate into Spanish (translate 'you' in both 'familiar' and 'polite' forms):

I like cathedrals;   you (singular) like the theatre;   he likes to stay in a hotel;   we like the house;   you (plural) like the shops;   they like to be clean.

4. Complete these sentences with *por* or *para*, and translate into English:

    a) El autobús sale _____ el centro a las diez y cuarto.
    b) Van al mercado _____ la calle principal, _____ comprar frutas _____ la cena.
    c) Voy al teatro _____ la noche. La comedia que veré no es _____ niños.
    d) Quedo en el cuarto de baño _____ una hora.
    e) Compro pescado _____ mi mamá, que no desea salir.
    f) Vamos al hotel _____ taxi.
    g) Dará ochenta pesetas _____ las flores. Son _____ su novia.

5. Translate into Spanish:

you do nothing;   she does not want anything;   we never say 'Good afternoon';   I do not know Diego;   he does not know me either;   nobody falls;   they do not like anything;   a child of mine;   an office of ours;   an uncle of hers.

6. Complete the following sentences with the verb *gustar*:

   Example: Yo voy al hotel; _____ _____ el hotel;   me gusta el hotel.
   Tú vas al hotel; _____ _____ el hotel;   te gusta el hotel.

   a) Yo visito el museo; _____ _____ el museo.
   b) Tú ves los escaparates; _____ _____ los escaparates.
   c) Diego compra el pescado; _____ _____ el pescado.
   d) Mercedes come las frutas; _____ _____ las frutas.
   e) El vendedor trabaja en la tienda; _____ _____ la tienda.
   f) Vd. bebe el café; _____ _____ el café.
   g) Nosotros tenemos un televisor; _____ _____ el televisor.
   h) Vosotros vivís en las afueras; _____ _____ las afueras.
   i) Ellos van al teatro; _____ _____ el teatro.
   j) Ellas toman los taxis; _____ _____ los taxis.
   k) Vds. visitan la ciudad; _____ _____ la ciudad.

7. Replace by object pronouns the phrases underlined.

   a) Me lleva a conocer a sus padres.
   b) Veo a María en la plaza.
   c) Cruzamos las plazas y las calles.
   d) Voy a encontrar a mis amigas.
   e) Continuamos nuestro paseo.
   f) Recibe a Juan y María.
   g) Estás hablando a Diego.
   h) Limpian los zapatos.
   i) Compraré la flor.
   j) Aguardarán al sacerdote.

8. In the above sentences, in which you have substituted object pronouns as instructed for Exercise 7, change to the plural everything that is singular, and to the singular everything that is plural:

   Example: Me llevan a visitar *a su abuelo*.   Me llevan a visitar*le*.
   Nos lleva a visitar*les*.

9. Write in Spanish a dialogue between Juan and María as they walk down las Ramblas, commenting on the things and people they see, and on what they intend to do next. Use both present and future tenses.

10. Oral work:

Enact the conversation between Juan and his mother at the beginning of the narrative in this Lesson, expanding it.

Enact the conversation between Juan and María as they walk through the streets of Barcelona.

Use both present and future tenses.

La catedral de Barcelona

Translate into Spanish:

1. Madrid is in Spain. It is a large city. It has a lot of shops and a modern university.

2. There are four children in his family, but he has no cousins.

3. Where do you live? Are you pleased to visit England? Why are you here—in order to study?

4. Do you see María? Is she busy? What is she doing?

5. She works in the shop in the morning and helps my mother in the afternoon.

6. He stays in the factory to speak to the workmen.

7. Which fish will you buy? Is it better here or in the supermarket? We don't know.

8. They are going to the cinema. They have to take the number nineteen bus.

9. Will you speak to the salesman? I have to meet Pedro. I shall go to the café; I shall see him there at six o'clock.

10. We don't like the shoes in the shop window; they are not cheap either.

11. She says nothing; I know nobody; you never go out; we haven't any friends.

12. I put your letters and mine in the letter box. The postman will collect them for us.

(Wherever *you* occurs, translate first in the 'familiar', then in the 'polite' form.)

Lesson 6

<hr>

——————————GRAMMAR——————————

Stem-changing Verbs

Certain verbs change their stem vowel in the present tense (and the present subjunctive, to be learnt later). Verbs of this kind are shown in the English–Spanish vocabulary (p. 209).

The change in the present comes in all persons *except* the 1st and 2nd plural.

Type 1: verbs of either the **–AR** or the **–ER** conjugations:

temblar (to tremble) **tiemblo, temblamos**
mostrar (to show) **muestro, mostramos**
poder (to be able) **puedo, podemos**

that is, root vowel E becomes IE ⎱ Shown in the vocabulary thus: [ie] or
                O becomes UE ⎰ [ue]

Type 2: verbs of the **–IR** conjugation:

preferir (to prefer) **prefiero, preferimos**
morir (to die) **muero, morimos**

that is, root vowel E becomes IE ⎱ Shown in the vocabulary thus: [ie–i] or
                O becomes UE ⎰ [ue–u]

Type 3: verbs of the **–IR** conjugation (to be learnt in Lesson 7):

pedir (to ask) **pido, pedimos**

that is, root vowel E becomes I Shown in the vocabulary thus: [i–i]

In types 2 and 3, there are changes also in the preterite tense and the present participle.

41

Reflexive Verbs

Reflexive verbs refer to action done to oneself, or to a *reciprocal* action, done by two subjects to each other.

The reflexive pronouns are the direct object forms (see Lesson 5) except in the 3rd person singular and plural, where SE is used. For example:

Me llamo	I call myself (I am called)
Se mira	He looks at himself/She looks at herself
Están mirandose	They are looking at each other/themselves

Remember that object pronouns normally precede the verb, but follow the infinitive and present participle.

Reflexive verbs can also have a passive meaning. For example:
Se habla inglés   English is spoken

MENU TURISTICO

PRECIO; 800 PTS.

Se compone eligiendo:
1 plato del grupo 1.°
1   "   entre los grupos 2.°, 3.°
1   "   del grupo 4.°
Pan y 1/4 litro de vino del país

Restaurante San Isidro

1er Grupo: Entremeses y Sopas.

Entremeses variados	300
Consomé de ave	100
Sopa de pescado	200
Crema de tomate	140

2° Grupo: Huevos y Pescados.

Tortilla española	150
Tortilla de champiñones	190
Tortilla de jamón	200
Huevos a la flamenca	210
Merluza a la vasca	400
Merluza frita	300
**Langosta con mahonesa	1200
Bonito con tomate	200
Gambas al ajillo	210
Truchas (según el peso)	
Calamares en su tinta	300
Paella valenciana	350

Lenguado a la parilla	500
Bacalao	300

3er Grupo: Carnes y Aves.

**Bistec (solomillo)	900
Chuleta de cerdo	360
Chuleta de ternera	360
Cordero asado	360
Pollo asado	290
Pollo estofado	230
Conejo al aiolí	375
Perdiz a la cazadora	300
Cochinillo asado	460
Jamón natural	325
Fiambres variados	300

4° Grupo: Postres.

Helado	100
Flan	90
Melocotón en almíbar	130
Fresas	200
Frutas variadas	90
Quesos	100

Cafe . . 90

(** No incluido en el menú turístico.)

The Date

Days of the week: **lunes** (Monday), **martes** (Tuesday), **miércoles** (Wednesday), **jueves** (Thursday), **viernes** (Friday), **sábado** (Saturday), **domingo** (Sunday).

Months:
enero (January)	**julio** (July)
febrero (February)	**agosto** (August)
marzo (March)	**septiembre/setiembre** (September)
abril (April)	**octubre** (October)
mayo (May)	**noviembre** (November)
junio (June)	**diciembre** (December)

For the *first* day of the month, use **el primero** (the ordinal number—1st). For all other dates, use the cardinal number, **el dos, el veinte**, etc.

¿Qué fecha es?   What is the date?
Es martes, cinco de mayo
(note no article with the day)
Es el once de diciembre
Es el primero de julio
Llegará el dos de abril   He will arrive on April 2nd (note 'on' is not translated into Spanish here)

Note: Capital letters are not used for days or months in Spanish.

Age

Age is expressed using the verb **TENER**; for example:

¿Qué edad tienes?   How old are you?
Tengo quince años   I am fifteen

It is essential to use the word *años*.

Sometimes the phrase used is: **Tengo quince años de edad.**

Note also:

a la edad de treinta años   at the age of thirty

43

Don and Doña

These courtesy titles have no equivalent in English. They are used with the Christian name, not the surname. For example:

El señor González	Mr González
El señor don Pedro González	Mr Peter González
Don Pedro	
La señora doña Rosa (de) González	Mrs Rosa González
Doña Rosa	
La señorita doña Concha (de) González	Miss Concha González

Order of Object Pronouns (continued from Lesson 5)

When two object pronouns come together:

(1) Indirect object precedes direct; for example:

Me ofrece el libro	He offers me the book
Me lo ofrece	He offers it to me

(2) When both objects are 3rd person, **SE** replaces the indirect object, whether singular or plural; for example:

Muestra el vestido a su madre	She shows the dress to her mother
Le muestra el vestido	She shows the dress to her
Se lo muestra	She shows it to her
Muestra el vestido a sus padres	She shows the dress to her parents
Se lo muestra	She shows it to them

(3) Note that when two objects follow (and are joined to) the verb, an accent is required to retain the stress on the normal syllable of the verb; for example:

Tengo que preguntártelo	I have to ask you (it)
¿La historia? Están contándomela	The story? They are telling me it
Van a pedírselo	They are going to ask him for it

An accent is always required when even one object pronoun follows a present participle, for example:

Están contándola; está comiéndolo

Stem-changing Verbs

Present Tense

Type 1 **TEMBLAR** (to tremble)	Type 1 **MOSTRAR** (to show)	Type 1 **VOLVER** (to return)
tiemblo	**muestro**	**vuelvo**
tiemblas	**muestras**	**vuelves**
tiembla	**muestra**	**vuelve**
temblamos	**mostramos**	**volvemos**
tembláis	**mostráis**	**volvéis**
tiemblan	**muestran**	**vuelven**

Type 1 **ENTENDER** (to understand)	Type 2 **PREFERIR** (to prefer)	Type 2 **MORIR** (to die)
entiendo	**prefiero**	**muero**
entiendes	**prefieres**	**mueres**
entiende	**prefiere**	**muere**
entendemos	**preferimos**	**morimos**
entendéis	**preferís**	**morís**
entienden	**prefieren**	**mueren**

Like these are **QUERER** (to want, to love)—**quiero, quieres**, etc., and **PODER** (to be able)—**puedo, puedes**, etc. Both are regular in the present tense, though irregular in the future and some other tenses.

Reflexive Verbs

LLAMAR*SE* (to call oneself, be called)

Present Tense

ME llamo, TE llamas, SE llama, NOS llamamos, OS llamáis, SE llaman.

Future Tense

ME llamaré, TE llamarás, etc.

45

Irregular Future Tenses

TENER	tenDRÉ, etc.	SABER	sabRÉ, etc.
QUERER	querRÉ, etc.	PODER	podRÉ, etc.
HACER	haRÉ, etc.	DECIR	dIRÉ, etc.
PONER	ponDRÉ, etc.	SALIR	salDRÉ, etc.

The future of **hay** is **HABRÁ** (there will be).

————'EL HOTEL MAGNÍFICO'————

Encontramos un taxi libre, y doy al chófer la dirección:
—Hotel Magnífico, Avenida del Rey, por favor.
En las horas punta el tráfico en Barcelona, como en Madrid o Londres, es horroroso. Sin embargo, llegamos con una rapidez impresionante.
—¿Cuánto le debo?
—Ciento veinticinco, señor.
—¿Puede cambiar un billete de quinientas?
El chófer me da la vuelta, yo le doy a él una propina, y entramos por el portal.
El señor Fernández está esperándonos.
—¡Hola, Papá! Quiero presentarte a Juan—Juan Gaudí.
—Encantado de conocerle, señor.
—Tanto gusto, Juan. ¿Es Vd. de la familia del famoso arquitecto de la catedral de la Sagrada Familia?

46

—No creo, pero es posible, por ser un apellido poco común.

El señor Fernández se acerca a la Conserjería.

—¿Quiere Vd. llamar a la habitación cuatro veintitrés y decirle a mi esposa que están aquí nuestra hija y su amigo, y que vamos a esperarla en el bar?

Cuando llega la señora Fernández, que se llama doña Rosario, entramos en el restaurante. El camarero se acerca y nos muestra el menú. Podemos todos comer platos que nos gustan. A nadie le gusta tomar postres ricos; preferimos frutas naturales. Bebemos agua mineral y un vino tinto de Rioja. No conozco la region, pero el padre de María, que la conoce bien, dice que produce los mejores vinos de mesa. Está bastante cerca de Zaragoza, donde vive.

Como es el cumpleaños de María (es por qué están visitándola sus padres en Barcelona), brindamos por su salud. Es para María una fecha importante, porque tiene veintiún años hoy, martes nueve de mayo de mil novecientos . . . Por la noche habrá un baile para celebrar la ocasión; se lo ofrecerán sus tíos, que tienen una gran casa de campo no lejos de la ciudad.

Cuando terminamos la comida, vuelvo a la universidad, donde tengo una conferencia por la tarde. Me encuentro un poco avergonzado en el gran hotel, y estoy contento de decirles adiós a los Fernández. Pero, son muy simpáticos. Sé que nos veremos por la noche en el baile, y digo a María:

—Tengo en casa tu regalo, pues no puedo dártelo ahora. Te lo daré en el baile. ¡Puedes aguardar! Estoy seguro de que te gustará.

———————————EXERCISES———————————

1. Write in Spanish, in full:

Monday 10th March, 1825; Friday 1st June, 1087; Wednesday 30th May; Saturday 14th October; Sunday 3rd January; On May 2nd; in 1492.

2. Complete these sentences with *por* or *para*:

a) Compraré un regalo _____ mi amigo, pero no podré pagar mucho _____ el regalo.

b) Quiero ir _____ autobús _____ ver la ciudad, hoy _____ la tarde.

c) El taxi sale _____ el hotel, y pasa _____ la plaza principal.

d) Doy cien pesetas _____ el libro de poesía que compro _____ estudiarlo.

e) Vamos a Madrid _____ una semana dos veces _____ año.

47

3. Answer in Spanish:

   a) ¿Le gusta el agua mineral?
   b) ¿Prefiere Vd. comer en un hotel o un café? ¿Por qué?
   c) ¿Qué son 'las horas punta'? ¿Le gustan a Vd.?
   d) ¿Dónde se producen los mejores vinos de mesa?
   e) ¿Habrá un baile en su casa hoy? ¿Le gusta bailar?
   f) ¿Qué hará Vd. esta noche?
   g) ¿Se afeita Vd. por la mañana?
   h) ¿Qué edad tiene Vd.? ¿Y su hermana?
   i) ¿Qué fecha es?
   j) ¿Por qué se estudia el español?

4. In these sentences, replace the underlined nouns with object pronouns:

   a) El señor Fernández espera a Juan.
   b) El camarero ofrece el menú a Juan y María.
   c) Te ofreceré las frutas.
   d) Los abuelos están esperando a Diego.
   e) Las muchachas me muestran la casa.
   f) Estás preguntando al chofer la fecha.
   g) Don Carlos habla a doña Rosario, pero ella no quiere escuchar a don Carlos.
   h) No robarán las maletas a la señora Fernández.
   i) No van a presentarme a Pedro.
   j) Vd. nos muestra la habitación. Muestra la habitación a los tíos también.

5. Put into the future tense:

   a) Encuentro un taxi.
   b) Tiemblas porque tienes frío.
   c) Muere de hambre, pero no lo sabe.
   d) Podemos bailar si nos gusta.
   e) ¿Queréis salir?
   f) Dicen su dirección al chófer.
   g) Vds. no hacen nada.
   h) El bebé se llama Luisita.
   i) Pongo el vino en la mesa para Papá.
   j) Hay cinco platos.

6. Answer in Spanish, using pronouns where possible:

   a) ¿Por qué queremos un taxi?
   b) ¿A quién doy un billete de quinientas? ¿Qué me da él?
   c) ¿Cómo se llama el amigo de María?
   d) ¿Cuál es el número de la habitación de doña Rosario?
   e) ¿Quién nos muestra el menú?

f) ¿Por qué no tomamos postres? ¿Tomamos frutas naturales?

g) Los padres de María, ¿le ofrecen el baile?

h) ¿Dónde tengo el regalo de María?

i) ¿Cuándo le daré el regalo?

j) ¿De qué estoy seguro?

7. Write in Spanish an account of the plans made for Juan's visit to the Hotel Magnífico, from the point of view of señor Fernández.

8. Oral work: Enact the conversation between señor and señora Fernández, María and Juan, from the arrival of señora Fernández. They then go into the restaurant, order their meal, and during the meal they talk about Juan, his studies, his family, etc.

La catedral de la Sagrada Familia (Barcelona)

Lesson 7

GRAMMAR

Stem-changing Verbs (continued)

Type 3: **pedir**   **seguir**
            pido, pedimos   **sigo, seguimos** (note spelling here)

In this type the stem vowel E becomes I.

Demonstrative Adjectives and Pronouns

Adjectives

este (m.)	**esta** (f.)	**estos** (m.)	**estas** (f.)	this, these
ese (m.)	**esa** (f.)	**esos** (m.)	**esas** (f.)	that, those
aquel (m.)	**aquella** (f.)	**aquellos** (m.)	**aquellas** (f.)	that, those

These adjectives precede the nouns they qualify, and agree with them in gender and number.

Note the two forms of 'that, those'. In general, either may be used, but **aquel** often implies something further away than **ese**; for example:

esta tienda	this shop
esa tienda	that shop
aquella tienda	that shop over there

(To avoid confusion with **este**, it may be wise to use *aquel* when possible.)

Pronouns Type A:

éste	**ésta**	**éstos**	**éstas**	this one, these
ése	**ésa**	**ésos**	**ésas**	that one, those
aquél	**aquélla**	**aquéllos**	**aquéllas**	that one, those

The pronouns have the same forms as the adjectives, except that they have accents on the normally stressed syllables; for example:

Éste es mi abrigo	This (one) is my coat
No compro esta maleta, compro aquélla	I am not buying this suitcase, I am buying that one

50

Pronouns Type B:

> **esto eso aquello**   this, that, that

These pronouns are 'neutral', i.e. neither masculine nor feminine. They refer to an idea, a situation, or something not yet named; for example:

> **No tengo dinero. ¡Eso es terrible!**   I have no money. That's terrible!
> **¿Qué es esto?**   What is this?

They have no accents, since these forms ending in O cannot also be adjectives.

The Preterite Tense

The preterite tense is used where in English the *simple past* is used, i.e. to express actions or events in the past. For example:

> **Entró en el almacén, probó un**   She went into the shop, tried on a
> **bañador, y lo compró**   swimsuit, and bought it

Formation: There are two types of endings: for **–AR** verbs and for **–ER** and **–IR** verbs. Note the accents on the 1st and 3rd persons singular, in regular verbs.

–AR verbs:	**–ER** and **–IR** verbs:
–é	–í
–aste	–iste
–ó	–ió
–amos	–imos
–asteis	–isteis
–aron	–ieron

Idiomatic Uses of *LO* (See Lesson 5)

(Other than as a masculine singular object pronoun, for example: **lo come** (he eats it). The pronoun *lo* is, like **esto, eso** and **aquello**, 'neutral'. It can refer, as they do, to an idea rather than a particular noun. For example:

¿Es buena esta tienda? No, no lo es.	Is this shop good? No, it isn't
lo bueno	what is good
lo interesante	the interesting thing
lo que me gusta	what I like
No sé qué comprar.	I don't know what to buy.
No lo sé yo tampoco	*I* don't know either

51

Adverbs

Adverbs may qualify verbs or adjectives. They never agree, so they are invariable.

Adverbs are regularly formed by adding **–MENTE** to the feminine singular form of an adjective.

(*Note*: Only adjectives ending in O in the masculine change to A in the feminine—see Lesson 1.) For example:

claro	**clara**	**claramente**
	clear	clearly
fácil	**fácil**	**fácilmente**
	easy	easily
libre	**libre**	**libremente**
	free	freely

Note that if an adjective has an accent, the corresponding adverb retains it (see above **fácilmente**).

If two or more adverbs ending in **-mente** come together, only the last one carries this ending. For example:

Clara y lentamente

Some common adverbs which are not formed from adjectives as above are:

muy (very); **poco** (not much); **bastante** (quite, enough); **demasiado** (too, too much); **medio** (half).

Bastante, poco, demasiado and **medio** can also be used as adjectives, agreeing in the usual way. For example:

Habla claramente	He speaks clearly
Deciden fácilmente	They decide easily
Compran demasiado	They buy too much
Es muy barato	It is very cheap

52

Las corbatas son demasiado caras	The ties are too expensive	
Tiene bastantes pañuelos	He has enough handkerchiefs	
Media hora	Half an hour	

Vocabulary: Shops, etc.

Many groups of words exist, such as:

el pan the bread	**el panadero** the baker	**la panadería** the baker's shop
el libro the book	**el librero** the bookseller	**la librería** the bookshop
la carne the meat	**el carnicero** the butcher	**la carnicería** the butcher's shop
la leche the milk	**el lechero** the diaryman	**la lechería** the dairy
el zapato the shoe	**el zapatero** the shoemaker	**la zapatería** the shoemaker's shop
las verduras the (green) vegetables	**el verdulero** the greengrocer	**la verdulería** the greengrocer's shop
la joya the jewel	**el joyero** the jeweller	**la joyería** the jeweller's shop

Some other shops do not fit into this pattern: for example:

    la tienda de modas   dress (fashion) shop
    la tienda de ultramarinos   grocer's shop
    la medicina (medicine);   **el boticario** (chemist);
    la farmacia (chemist's shop)

Present tense	*Future tense*
VENIR (to come)	
ven**GO**	ven**DRÉ**
vienes	ven**DRÁS**
viene	etc.
venimos	
venís	
vienen	

Stem-changing verb
Type 3   **PEDIR** (to ask)

pido	pediré
pides	pedirás
pide	etc.
pedimos	
pedís	
piden	

Preterite Tense

The three regular conjugations

HABLAR	**COMER**	**VIVIR**
hablé	comí	viví
hablaste	comiste	viviste
habló	comió	vivió
hablamos	comimos	vivimos
hablasteis	comisteis	vivisteis
hablaron	comieron	vivieron

——VAMOS DE TIENDAS (LA ROPA)——

Sra. Fernández   ¡María! ¿Vas a acompañarme a las tiendas esta mañana?

María   Claro. Me gusta ir de tiendas con otra persona. Cuando voy a solas nunca sé qué comprar. Me falta confianza.

Sra. F.   Eso vendrá con la experiencia. En todo caso, hoy podrás gastar el dinero que te regaló tu abuela por tu cumpleaños. Necesitas un nuevo abrigo para el invierno. El tuyo, la última vez que lo llevaste, me pareció muy viejo.

María   Es verdad, pero no quiero gastar ese dinero en algo tan aburrido como un abrigo. Prefiero comprar cosas para mis vacaciones.

****

La vendedora   Buenos días, señoras. ¿Puedo servirles en algo?

Sra. F.   Buenos días. Buscamos varias cosas. Yo necesito alguna ropa interior, y una falda, y mi hija busca unos vestidos de verano, y un bañador, y también unos zapatos.

La vend.   Pues en este almacén hay de todo. Aquí en el piso bajo encontrarán Vds. todo para la playa, con otra ropa de deportes. Las otras cosas están en el piso principal.

Sra. F.   Muchas gracias. Vamos por aquí, hija.

María   Me probaré tres o cuatro bañadores, y si no puedo decidirme, te pido consejo, ¿no? Mientras tanto, tú podrás mirar si hay unos buenos pantalones de esquiar. ¿No perdiste los tuyos cuando te robaron a las maletas en el extranjero el invierno pasado?

****

María   ¿Cuánto cuestan estas bufandas de lana? Son de lo mejor para el tiempo frío. Parecen caras.

La vend.   No son caras, señorita. Son baratas. También tenemos éstas de seda, que son muy elegantes.

María   Sí. Deme la de lana verde, y también una de seda, negra con rayas marrón, para mi madre. ¿Quiere Vd. envolverla rápidamente mientras ella está mirando los bolsos? Lo importante es darle una sorpresa.

La vend.   Claro. Aquí las tiene, señorita. Son dos mil setecientas cuarenta las dos.

Sra. F.	¿Acabaste ya? Quiero ir al departamento de señores a ver si me gusta lo que tienen. Tu padre necesita un esmoquin nuevo y también un traje ligero para la primavera. Podrá pasar pos esta tienda mañana por la mañana a probarse algunos. Y quizás le gustará otro pijama, o una camisa.
María	Ay, Mamá, no me interesan las camisas y corbatas ni los calcetines y pañuelos. Son tan aburridos. Voy a ver si tienen ese disco del nuevo grupo americano que escuché ayer en la radio. Vendré a buscarte al cabo de veinte minutos.

—EXERCISES—

1. Put the verbs in the following sentences into (i) the present, (ii) the future, (iii) the preterite:

   a) El señor (comprar) un abrigo nuevo.
   b) El obrero no (vender) pantalones.
   c) La criada (abrir) la puerta.
   d) Yo (necesitar) una camisa nueva.
   e) Los hombres (encontrarse) en el café.
   f) Las faldas (parecer) caras.
   g) ¿(Vivir) tú en Italia?
   h) No le (gustar) a Vd. esta corbata.
   i) Vosotros no (beber) mucho.
   j) Nosotros (deber) veinte mil pesetas a aquel almacén.

56

2. Translate into Spanish the English words in parentheses, in the following sentences:

a) (This) catedral es famosa.
b) (This) es el nuevo grupo.
c) ¿Qué escucharon (those) estudiantes?
d) (Those) montañas serán los Pirineos.
e) (That) es un clavel.
f) ¿Qué es (this)?
g) Preferimos (these) bolsos.
h) ¿Fue (this one) su cuarto?
i) (That) hombre es mi sastre.
j) (Those) son las ediciones baratas.
k) No le gustó (that).
l) ¿Son de lana (these) bufandas?

3. Form adverbs from the following adjectives:

Example: lindo—lindamente.

rápido; difícil; interesante; fuerte; preciso; elegante; nuevo; interior; principal; bajo.

4. Translate into Spanish, using *lo* where appropriate:

a) Are the dresses cheap? No, they are not.
b) What we like are the summer suits.
c) What interests señora Fernández is elegance (that which is elegant).
d) Where is the grocery department? I don't know.
e) The good thing about this handbag is that it is cheap.

5. Answer in Spanish:

a) ¿De qué color es el pañuelo de Vd.? ¿Y su corbata?
b) ¿Cuándo llevamos los pijamas?
c) ¿Tiene Vd. un esmoquin? ¿De qué color es la corbata para el esmoquin?
d) ¿Hay almacenes grandes en esta ciudad? ¿Cuántos?
e) ¿Qué venden en los almacenes?
f) ¿Prefiere Vd. el verano o el invierno? ¿Por qué?
g) ¿Quiénes trabajan en las tiendas? ¿Y en los restaurantes?
h) ¿A dónde vamos para esquiar?
i) ¿En qué piso estamos?
j) ¿Cuándo usamos las maletas?

6. Replace with pronouns the underlined phrases in these sentences:

a) Vamos a comprar <u>la ropa interior.</u>
b) Cuando voy a solas nunca sé <u>qué comprar.</u>

57

c) Podrás gastar el dinero.
d) Si no puedo decidirme, te pido consejo.
e) ¿No perdiste los tuyos cuando te robaron aquellas maletas?
f) ¿Las faldas, son de lana? No, no son de lana.
g) Ella está mirando los bolsos.
h) Voy a buscar a Mamá.
i) Ayer escuché a los americanos.

7. Write in Spanish an account of a visit to three shops (grocer, bookshop, clothing shop), using the preterite tense as much as possible. Title: 'Pedro/Isabel fue de tiendas'.

8. Write in Spanish a list of clothes to send to the laundry. (See the Special Word Lists on pp. 184–7.)

9. Oral work:

   a) Enact a visit to a clothes shop.
   b) Describe the clothing of the person sitting next to you.

Lesson 8

GRAMMAR

Demonstrative Pronouns (continued from Lesson 7)

> **el que, la que, los que, las que**
> 'he who', 'the one which', etc.

These forms consist of the definite article plus **que**. For example:

Este ensayo es *el que* escribí	This essay is the one (which) I wrote.
Las que trabajan en la tienda son vendedoras	The women (those) who work in the shop are saleswomen.

Similarly, use **el de, la de, los de, las de** (the one belonging to). For example:

Esta bufanda es *la de* María	This scarf is Mary's

Construction with *Hace*

Hace (literally, 'it makes') is used to render *ago*; thus:

hace tres horas	three hours ago
hace muchos siglos	many centuries ago
Hace un mes que llegó } **Llegó hace un mes** }	He arrived a month ago
¿Cuánto tiempo hace que vino?	How long is it since he came?

Hace also renders 'for' in sentences using the *present tense*; thus:

Hace una hora que leo } **Hace una hora que estoy leyendo** }	I have been reading for an hour
Hace dos semanas que estamos aquí	We have been here for two weeks
¿Cuánto tiempo hace que estudias?	How long have you been studying?

59

Indirect Questions

Remember that interrogative words (**cómo, quién**, etc.) have accents in *indirect* questions as well as in *direct* questions (see Lesson 3). For example:

Me preguntó dónde cenaron   He asked me where they had supper
No sé cuándo volverá   I do not know when he will come back

The Passive Construction

The verb **SER** followed by the past participle forms the *passive* construction. The past participle in this construction agrees with the subject. 'By' is rendered by **POR**. For example:

España fue conquistada por los romanos   Spain was conquered by the Romans

Los cereales son cultivados en la meseta central   Cereals are grown on the central plateau

Regular past participles:

HABLAR habl*ado*   **COMER** com*ido*   **VIVIR** viv*ido*

The endings **–ado, –ido** are added to the infinitive stem.

There are some irregular past participles, to be learnt later.

The reflexive form of a verb is often used instead of the passive. (See Lesson 6.) For example:

Los españoles fueron vencidos por los moros   The Spanish were defeated by the Moors
Los españoles se vencieron   The Spanish were defeated (Note:
Se venció a los españoles*   'by the Moors' is omitted here)

*This construction is preferred when the action is done to persons.

In general, use the reflexive when the agent is not expressed, and the passive when the agent is expressed.

Note that a past participle may be used after the verb **ESTAR**, in an adjectival sense, in which case also the participle/adjective agrees with the subject. For example:

La puerta está cerrada   The door is shut (adjectival)
La puerta fue cerrada por Juan   The door was shut by John (passive)

Names of Countries

Names of countries are written with capital initial letters. No article is used with the names of most countries, except when qualified by an adjective or an adjectival phrase; for example:

España es un gran país
La España moderna está restaurándose
La España de nuestros días . . .

A few countries (such as **el Perú, la Argentina, el Canadá**) always have the article. List and learn these as they are met.

Ordinal Numbers

primero	1st	**sexto**	6th
segundo	2nd	**séptimo**	7th
tercero	3rd	**octavo**	8th
cuarto	4th	**noveno (nono)**	9th
quinto	5th	**décimo**	10th

These are not much used, though in such phrases as 'the third time', **primero, segundo, tercero** and **cuarto** are quite frequent. They normally precede the nouns they qualify; for example:

la segunda vez   the second time

The numbers may be written: 1º (primero), 2ª (segunda), etc.

Primero, tercero are shortened, in the masculine form only, to **primer, tercer**, when the next word is a masculine singular noun; for example:

El primer hombre fue Adán   The first man was Adam

Primero is used for the first day of the month:

el primero de abril   April 1st

The ordinal numbers are used for kings, queens and popes, up to 10th; for example:

	Carlos quinto	Charles V
	el Papa Juan décimo	Pope John X
BUT	**Luis catorce de Francia**	Louis XIV of France

62

Superlative in –*ÍSIMO*

An adjective may take the ending **–ísimo (–ísima, –ísimos, –ísimas)** to give it the force of 'very', 'extremely'; for example:

España fue riquísima en el siglo XVI
contento   contentísimo
inteligente   inteligentísimo
rico   riquísimo (note spelling change)

Genders

Most nouns ending in A are feminine, and most ending in O are masculine. However, there are exceptions, and one category of masculine nouns ending in A comprises words such as **el turista** (tourist). These are words representing a person who performs a certain activity. The English word in most cases is similar. For example:

el artista   artist
el pianista   pianist

Another category of masculine nouns ending in A comprises words that come from Greek roots, and also are similar to English words; for example:

el programa   programme
el mapa   map
el problema   problem

Remember also: **el día** (day).

An important exception to the rule that O is a masculine ending is: **la mano** (hand).

The 'Pretérito Grave' (P.G.)

Many of the irregular verbs have no accents on the endings of the 1st and 3rd persons singular of the preterite tense. These unaccented preterites are called **pretéritos graves** and are marked 'P.G.' in the verb tables (pp. 180–1). Take careful note of them. (A word stressed on the last syllable but one is called **grave**; one stressed on the final syllable is called **agudo**.)

63

Present Tense

VALER   **CABER**
(to be worth)   (to fit into)
valGO   **QUEPO**
vales etc.   **cabes** etc.

Future Tense

valDRÉ etc.   **caBRÉ** etc.

Preterite Tense

valí   **CUPE** (P.G. **Pretérito Grave**)
valiste   **CUPISTE**
valió etc. **CUPO**
          CUPIMOS
          CUPISTEIS
          CUPIERON

Some more Irregular Preterites

CONDUCIR	conduje, condujiste, condujo, etc. condujeron, P.G. (similarly PRODUCIR, etc.)
DAR	di, diste, dio, etc.
DECIR	dije, dijiste, dijo, etc. dijeron, P.G.
ESTAR	estuve, estuviste, estuvo, etc. P.G.
HACER	hice, hiciste, hizo, hicimos, etc. P.G.
IR	fui, fuiste, fue, etc. fueron
PODER	pude, pudiste, pudo, etc. P.G.
PONER	puse, pusiste, puso, etc. P.G.
QUERER	quise, quisiste, quiso, etc. P.G.
SABER	supe, supiste, supo, etc. P.G.
SER	fui, fuiste, fue, etc. fueron (the same as IR)
TENER	tuve, tuviste, tuvo, etc. P.G.
TRAER	traje, trajiste, trajo, etc. trajeron, P.G.
VENIR	vine, viniste, vino, etc. P.G.

The preterite of **hay** is **HUBO** (there was, there were).

———ESPAÑA—VIDA ECONÓMICA———

(Un ensayo de colegio del hermano menor de María)

España consta de varias regiones muy distintas desde el punto de vista del clima. La agricultura tiene gran importancia, perio solamente en las regiones costeras se puede decir que hay un suelo verdaderamente fértil. Y aun allí, con la excepción del noroeste, no cae bastante lluvia; hay que emplear sistemas de riego. Como dijo cierto profesor renombrado, "En España el agua es una tragedia."

Fueron los moros los que enseñaron a los españoles, hace muchos siglos, cómo regar sus tierras. (Los moros invadieron el sur de España en el año 711, y lo gobernaron desde Granada hasta 1492, cuando fueron vencidos por Fernando e Isabel, los 'Reyes Católicos') Hoy día, notablemente en Extremadura, con el 'Plan Badajoz', se hacen empresas de conservación de agua por medio de embalses de los ríos, con canales y acueductos que llevan el agua a largas distancias. La idea del acueducto fue introducida por los romanos. El ejemplo más notable queda en Segovia— un edificio altísimo, de piedra, que cruza el centro de la ciudad.

España consta de varias regiones muy distintas desde el punto de vista del clima. La agricultura tiene gran importancia, pero solamente en las regiones costeras se puede decir que hay un suelo verdaderamente fértil. Y aun allí, con la excepción del noroeste, no cae bastante lluvia; hay que emplear sistemas de riego. Como dijo cierto profesor renombrado, « En España el agua es una tragedia. »

Fueron los moros los que enseñaron a los españoles, hace muchos siglos, cómo regar sus tierras. (Los moros invadieron el sur de España en el año 711, y lo gobernaron desde Granada hasta 1492, cuando fueron vencidos por Fernando e Isabel, los 'Reyes Católicos') Hoy día, notablemente en Extremadura, con el

Hasta recientemente no hubo mucha maquinaria para ayudar a los labriegos, y aun hoy día se puede ver, en nuestros caminos, muchos burros cargados y que arrastran carros para los campesinos, y mulas trabajando en los campos. Sin embargo, las grandes haciendas son modernísimas, con tractores y todo.

Las exportaciones principales de España son los productos agrícolas y cosas que derivan de ellos: por ejemplo el vino, el aceite de oliva, etc. De las regiones de la costa mediterránea vienen grandes cantidades de legumbres tempranas y de frutas como limones, naranjas, melones y uvas. El valle del Ebro produce melocotones, ciruelas y otras frutas; en Cataluña crecen nueces, en Andalucía y otras partes del sur se cultivan los olivos que dan aceitunas. No debemos olvidar las Islas Canarias, que exportan plátanos, tomates, patatas y pepinos. La cosecha más importante de la meseta central es de cereales—trigo, avena y centeno. Además en el noroeste se cultiva el maíz.

La exportación de productos industriales va creciendo—los textiles de Cataluña y los zapatos de las regiones de Valencia y Córdoba, que se asocian tradicionalmente con el cuero. En lo de la industria pesada, el gobierno hizo grandes esfuerzos en los años 50, 60 y 70 de este siglo para ayudar el desarrollo de éstas, y ahora hay grandes empresas de construcción de buques, de productos químicos, y de automóviles.

El turismo es una industria principal, en las Islas Baleares y Canarias tanto como en la España peninsular. Acuden turistas de la Gran Bretaña, Alemania, Francia y otros países.

La industria se desarrolló en España lentamente en comparación con otros países de la Europa occidental. Se aceleró durante el tercer cuarto del siglo XX con el aumento de las instalaciones de energía hidroeléctrica. No hay mucho carbón, y el que hay es de calidad no muy alta. Más recientemente se introdujo la energía nuclear, que ahora se usa muchísimo.

Riquísima en el siglo XVI, haciéndose cada vez más pobre en los siguientes, España está en el siglo actual restaurando poco a poco su fortuna. De eso, no cabe duda.

****

Comentario del profesor de geografía:
Bien, pero, ¿no hay ningún ganado—las ovejas, por ejemplo?

Y ¿los minerales? España tiene buenos recursos de hierro, cobre, mercurio, etc. Hace siglos Toledo se hizo famoso por su acero para forjar espadas—hoy día son cosas de turistas.

EXERCISES

1. Indicate on your map of Spain (see Lesson 1) the products mentioned in this Lesson, in the appropriate regions. Also add towns mentioned here.

2. Answer in Spanish:

   a) ¿Qué gran problema tiene la agricultura española?
   b) ¿En qué siglo invadieron los moros el sur de España?
   c) ¿Por qué es importante Badajoz?
   d) ¿De dónde vienen las aceitunas?
   e) ¿Qué se cultiva en el centro del país?
   f) ¿Dónde se cultiva el maíz?
   g) ¿Qué tipos de energía se usan más en España?
   h) ¿Cuándo fue España muy rica?
   i) ¿Hay ganado en las haciendas españolas?
   j) ¿De qué metal se hacen las espadas?

3. Put into the preterite:

   a) España consta de varias regiones diferentes.
   b) La agricultura tiene gran importancia.
   c) El suelo no es verdaderamente fértil.
   d) Se hacen empresas de conservación de agua.
   e) En el sur se cultivan olivos.
   f) No podemos olvidar las Islas Baleares.
   g) Acuden turistas de Alemania.
   h) No hay mucho carbón en España.
   i) ¿Son buenos sus recursos de hierro?
   j) Está restaurando sus fortunas.

4. Translate into Spanish:

   a) What I like is tourism.
   b) Those who have donkeys are peasants.
   c) The one who wrote this card is Mary's brother.
   d) Those whom we are listening to are my sisters.
   e) Is this one Mary's or John's? I don't know.
   f) Which book will you take? The one I bought today.
   g) She gave it to me two weeks ago.
   h) How long have you been here? For an hour.
   i) I have been studying Spanish for four months.
   j) You went to Spain, Germany and South America.

67

5. Express in Spanish in another way:

Example: Las uvas son cultivadas   Se cultivan las uvas

   a) La casa fue amueblada.
   b) Los moros fueron vencidos.
   c) El carro es arrastrado por el camino.
   d) El acero será producido en Toledo.
   e) Mucho pan es comido en España.
   f) Se exportan los pepinos.
   g) Se llevará el agua.
   h) Se habla español en muchos países de la América del Sur.
   i) Se introdujo la energía nuclear.
   j) Se cultivan los melocotones.

6. Put the bracketed verbs in these sentences into (i) the present, (ii) the future, (iii) the preterite:

   a) Se (poder) decir que el suelo (ser) fértil.
   b) Vds. (ir) a Badajoz por la mañana.
   c) Su hermano menor (estar) en el colegio.
   d) ¿Qué (hacer) Vds. en la universidad?
   e) (¿Venir) tú a tomar una cerveza?
   f) El profesor (decir) que mi ensayo no (valer) mucho.
   g) Yo no (saber) mucho sobre el sistema del riego.
   h) Mis amigas (querer) visitarme.
   i) No (caber) todas estas uvas en un plato.
   j) Tu primo te (dar) un regalo.

7. Complete, with the correct forms of *este, ese, aquel*, etc. (adjectives):

Example: libro, libros   este libro, ese libro, aquel libro
                          estos libros, esos libros, aquellos libros

tomate, tomates;   meseta, mesetas;   espada, espadas;   campesino, campesinos.

Replace the above phrases with the correct form of *éste, ése, aquél*, etc. (pronouns):

Example: este libro—éste.

8. Translate into Spanish:

May the first;   King Juan Carlos the First;   the seventh time;   Alfonso the Thirteenth;   the third day;   an extremely good play;   a very pretty girl;   a very clever woman;   a very unusual man; minerals are extremely important.

9. Write in Spanish a short description of your home town or area, mentioning local products, industries, climate, etc.

10. Oral work: 'Animal, vegetable, mineral'. Play this guessing game, using vocabulary from this Lesson for the objects to be guessed.

Example: Una ciruela.

1) ¿Es animal?	No.	6) ¿Es un tomate?	No.
2) ¿Es vegetal?	Sí.	7) ¿Se puede comer?	Sí.
3) ¿Es verde?	No.	8) ¿Es una fruta?	Sí.
4) ¿Es azul?	No	9) ¿Es una ciruela?	Sí.
5) ¿Es rojo?	Sí.		

Allow 20 questions for each object to be guessed. Answers should be *sí* or *no*.

Un hórreo

Lesson 9

GRAMMAR

Relative Adjectives

cuyo, cuya, cuyos, cuyas   whose

These words refer to people or things, and agree with the possession not the possessor. For example:

el pueblo cuyos edificios son hermosos   the village whose buildings are beautiful

el hombre cuyo padre es panadero   the man whose father is a baker

Note: the *interrogative* form of 'whose' is **de quién** (see Lesson 3); for example:

¿De quién es este taller?   Whose is this workshop?

Use of the Imperfect Tense

The imperfect tense renders 'used to' and expresses continuous states or actions in the past. For example:

Iba al colegio en autobús   He used to go to college by bus
Era muy linda   She was very pretty
Vivíamos en Barcelona   We lived in Barcelona *or* We used to live . . .

Note the use of **hacía** (imperfect tense of **hacer**) in past tense sequence (see Lesson 8 for use of **hace** to translate 'for'). For example:

Hace una hora que estamos aquí   We have been here for an hour (both verbs present)

Hacía una hora que estábamos allí   We had been there for an hour (both verbs imperfect)

The Past Continuous Tense

This is formed with the imperfect of **ESTAR** and the present participle of the main verb; for example:

Estaba aprendiendo el español   He was learning Spanish

Acabar de—'To Have Just . . .'

Acabar de + infinitive of main verb renders 'to have just done something' (**acabar**   to finish). For example:

Acabo de visitar el pueblo   I have just visited the village (Present tense of *acabar* for 'have/has just . . .')

Acababa de visitar el pueblo   I had just visited the village (Imperfect tense of *acabar* for 'had just . . .')

(Note: **acabar por** (to finish by) see Lesson 19.)

Iglesia en Avila (Estilo románico)

Prepositional or Strong Pronouns

mí	nosotros
ti	vosotros
él, ella, Vd., sí	ellos, ellas, Vds., sí

(Note that *ti* has no accent, because this word has no other sense, whereas **mi** with no accent means 'my'; **si** with no accent means 'if').

These pronouns are used after prepositions. With the exception of **mí, ti, sí**, they are the same forms as the subject pronouns. For example:

Anduvo detrás de mí	He walked behind me
Llegó después de nosotros	He arrived after us
Salió sin ella	He went out without her

Sometimes they are used after the preposition **a** for clarity or emphasis; for example:

Me lo da a mí, no a ella	He gives it to me, not to her
A ellos no les gusta; ¿Les gusta a Vds.?	*They* don't like it; do *you* like it?

Sí is a reflexive form; for example:

Lo hace para sí	He does it for himself
Lo compran Vds. para sí	You buy it for yourselves

(**Entre** (between) is normally followed by the subject pronouns, for example, **entre tú y yo** (between you and me).)

Note: Special forms of **mí, ti, sí** are used after **con** (with) (see Lesson 11).

These pronouns may also be used for emphasis or clarity, without prepositions; for example:

Él tiene coche, pero ella no	*He* has a car, but *she* hasn't
¿Qué van a hacer Vds.?	What are *you* going to do? *We* shall go to
Nosotros iremos al museo	the museum

Santillana

72

ANDAR	OÍR
(to walk)	(to hear)

Present Tense

ando	oiGO
andas	oYES
anda etc.	oYE
	oímos
	oís
	oYEN

Future Tense

andaré etc.	oiré etc.

Preterite Tense

andUVE (P.G.)	oí
andUVISTE	oíste
andUVO	oYÓ
andUVIMOS	oímos
andUVISTEIS	oísteis
andUVIERON	oYERON

Present Participles

CAER	caYendo	PODER	pUdiendo
DECIR	dIciendo	PREFERIR	prefIriendo
IR	Yendo	TRAER	traYendo
OIR	oYendo	VENIR	vIniendo
PEDIR	pIdiendo		

Imperfect Tense

HABLAR	COMER	VIVIR
hablaba	comía	vivía
hablabas	comías	vivías
hablaba	comía	vivía
hablábamos	comíamos	vivíamos
hablábais	comíais	vivíais
hablaban	comían	vivían

SER	ERA, ERAS, ERA, ÉRAMOS, ÉRAIS, ERAN
IR	IBA, IBAS, IBA, ÍBAMOS, ÍBAIS, IBAN
VER	VEÍA, VEÍAS, VEÍA, VEÍAMOS, VEÍAIS, VEÍAN

The imperfect of **hay** is **HABÍA** (there used to be, there was, there were).

73

EL 'PUEBLO ESPAÑOL' DE BARCELONA

Pilar, la prima de Juan que trabaja en Inglaterra (es la hija mayor de su tía Luisa) volvió hace tres días a pasar una temporada con su familia. Hacía un año que trabajaba de asistenta en una escuela, dando clases de español. Al fin del trimestre de verano la dejó, y, diciendo adiós a sus alumnos y a sus colegas, cogió el avión para Barcelona. Volverá en septiembre, pero no al mismo empleo. Va a trabajar con una compañía de televisión. Llegó con ella una amiga suya inglesa, Jenny, que va a veranear en España. Pasará con Pilar dos semanas.

A Juan le sorprendió el buen español que hablaba Jenny, pero ella le explicó que lo estudió en la universidad y que las lenguas vivas son lo que enseñaba en la escuela donde estaba Pilar. Juan no habla inglés, pero sabe un poco de francés.

****

Hoy fueron las dos muchachas a visitar el 'Pueblo Español' de Barcelona. Es un pueblo artificial, cuyos edificios son ejemplos de los estilos típicos de varias regiones de España, así que el turista puede hacer como un recorrido 'relámpago' por todo el país. Hay edificios y calles reproducidos de pueblos y ciudades que se pueden identificar, como por ejemplo una hermosa calle de Santillana del Mar, en el norte. Cuando llegaron, fueron recibidas por un hombre que quiso servirles de guía, pero a Pilar le gustó más ir independientemente.

—Te lo mostraré todo yo, Jenny, dijo Pilar. Los guías son útiles para los extranjeros que vienen solos, pero para mí, no. Te llevaré a los mejores sitios.

—Imaginaba que el pueblo era viejo, pero no lo parece.

—Es verdad, no lo es. Fue construido para una exposición en 1929, imitando los estilos regionales, pero sin dar mucha impresión de vejez, aunque lo que imitaron fue construido hace dos o tres siglos.

—¿Vive alguna gente aquí?

—No creo, pero hay una iglesia donde se celebran bodas y algunas misas especiales, y tiendas y talleres instalados en las casas, donde se puede comprar artefactos de tipo tradicional, y también mirarlos hacer. Verás cerámica, cuero, y artesanía de varios tipos, sobre todo la de Toledo, que es una labor con acero ornado de oro. Hacen joyas y otras cosas.

—Podré comprar algunos regalos para mis amigas de casa, ¿no?

—Sí, sí. También hay tres museos, todos mostrando lo popular, lo tradicional, en fin, lo español. Y naturalmente, hay cafés. ¿Quieres tomar algo antes de hacer la visita?

—¡No! ¡Acabamos de desayunar!

—De acuerdo. Pues bien, vamos primero a la Gran Plaza, a ver el Ayuntamiento.

74

****

Antes de volver a casa para comer, las dos muchachas pasaron por el Barrio Gótico, que es el viejo centro de Barcelona. Vieron la parte restante de la Muralla romana con sus cuatro torres cuadradas, varias hermosas iglesias que datan, como la catedral, del siglo XIV, y unas plazas elegantes, formadas por edificios de piedra de proporciones armoniosas, unidas por calles y callejuelas de una irregularidad fascinadora. A Jenny le gustó todo esto mucho más que la parte moderna de la ciudad donde las calles están trazadas en línea recta.

La Casa de las Conchas (Salamanca)

————EXERCISES————

1. Put into the imperfect:
    a) Pilar llevó a su amiga a Barcelona.
    b) Jenny va a veranear en España.
    c) Le sorprendió el buen español de la inglesa.
    d) Los edificios son ejemplos típicos.
    e) El turista puede hacer un recorrido.
    f) Un hombre quiso servirles de guía.
    g) A Pilar le gustó más ir sola.
    h) ¿Vive alguna gente aquí?
    i) Las muchachas vieron el Barrio Gótico.
    j) Acabamos de desayunar.

75

2. Translate into Spanish the words in brackets:

a) Esta es una iglesia (whose) arquitecto no es conocido.
b) ¿Cuál es el edificio (whose) torre vemos allí?
c) La ciudad romana, (the walls of which) podemos ver, no era grande.
d) El guía, (whose) nombre no sé, nos ayudó mucho.
e) Visitaban el 'Pueblo Español', en (whose) talleres se hacen cosas para turistas.

3. Following the pattern of this example:

Llegaron las muchachas
Acaban de llegar las muchachas
Acababan de llegar las muchachas

adapt the following sentences, using *acabar de*, in (i) the present, and (ii) the imperfect. Then translate each set of sentences into English.

a) Cayeron las murallas.
b) Empezó la visita.
c) Anduve hasta la torre.
d) Pasaste una temporada en España.
e) Fuimos al museo.

4. Answer in Spanish:

a) ¿Qué trabajo hacía Pilar en Inglaterra? ¿Cuánto tiempo hacía que lo hacía?
b) ¿Qué es el 'Pueblo Español?
c) ¿Quién recibió a Pilar y Jenny?
d) ¿Es viejo el 'Pueblo Español? ¿Cuántos años tiene?
e) ¿Cuántas lenguas vivas estudia Vd.? ¿Cuáles son?
f) ¿Por qué no quiso Jenny visitar un café?
g) ¿Cómo se llama la parte vieja de Barcelona?
h) ¿A Vd. le gustan más las ciudades modernas o viejas? ¿Por qué?
i) ¿Para qué se usa la iglesia en el 'Pueblo Español'?
j) ¿Dónde va Vd. a veranear este año?

5. Translate into Spanish:

for him;   with us;   in front of me;   beside you (4 ways);   after them (2 ways);   on behalf of her.

6. (i) Replace the underlined words with pronouns:

Example: Pedro lo hace para María: lo hace para ella.

a) Jenny lo visita con Juan: lo visita con _____.
b) Lo compra para mí y ti: lo compra para _____.
c) Vende el taller sin los artefactos: vende el taller sin _____.

d) Fuimos hasta <u>los barrios pobres</u>: fuimos hasta _____.

e) Pasé por <u>la callejuela</u>: pasé por _____.

f) Pilar lo hace para <u>Pilar</u>: Pilar lo hace para _____.

g) Andábamos al lado de <u>Vd. y su padre</u>: andábamos al lado de _____.

h) Estuvo delante de <u>la iglesia</u>: estuvo delante de _____.

i) Iré al cine con <u>Luisa y María</u>: iré al cine con _____.

(ii) Complete with pronouns:

me lo da a _____; te lo da a _____; se lo da a María—se lo da a _____; se lo da a Juan—se lo da a _____; nos lo da a _____; os lo da a _____; se lo da a mis amigos—se lo da a _____; se lo da a Vd. y su esposa—se lo da a _____.

7. Juan has just met Jenny and Pilar on their arrival from England. Write in Spanish a conversation between the three of them. (*Note:* They will address each other as *tú*.)

8. Oral work: Using the plan of central Barcelona below, give instructions for reaching various places, taking the point marked 'A' as starting point.

> *Example:* ¿Cómo se va desde aquí a _____?
> Se toma la primera calle a derecha, pues se cruza la Plaza . . ., etc.

Lesson 10

─────────────────REVISION─────────────────

I   Revise all verbs and vocabulary so far used.
II In the following exercises, the sentences and phrases given in Spanish
    may, if desired, be translated into English as a further exercise.

(Lesson 1)

A   Complete with the correct form of *ser* or *estar*:

   a) Las Canarias no _____ en Europa.
   b) Los estudiantes _____ españoles.
   c) Vosotros _____ ocupados.
   d) ¿ _____ yo un hombre o una mujer?
   e) El Tajo _____ un río grande.
   f) María _____ linda.
   g) María _____ contenta hoy.
   h) Madrid _____ una ciudad.
   i) ¿Dónde _____ Madrid?
   j) Tú y yo _____ ingleses.

B   Put in the negative:

   a) Eres joven y estás ocupado.
   b) Son estudiantes y están en la universidad.

Put in the plural:

   c) Soy inglés; estás contenta; es grande; el país es lindo; la
       capital es famosa; es el río principal; el muchacho está
       libre; ella es joven.

Put in the feminine:

   d) El estudiante francés; un muchacho guapo; él está libre;
       somos españoles; estoy contento; eres italiano.

Put in the interrogative:

   e) Somos estudiantes; hoy es fiesta; tenemos profesores buenos;
       María está en Barcelona; nosotros no tenemos estudios.

(Lesson 2)

A   Translate into Spanish:

    a)   I am waiting for my brother.
    b)   The maid welcomes (receives) the grandfather.
    c)   He receives the news.
    d)   We visit your uncle Augusto.
    e)   There are no workmen in the factory.
    f)   The problems are very difficult.
    g)   There is an old man in the garden.
    h)   She has two aunts, nine cousins, one sister; she has no nephews.

B   Give the Spanish for: my uncle;   her grandfather;   our cousin;   his sisters;   their mother;   your parents.

79

(Lesson 3)

A Translate into Spanish the words in brackets:

   a) (What) comes?
   b) (Who) recibe a los visitas?
   c) (When) tienes que levantar la mesa?
   d) (Why) se quedan en la sala?
   e) (What) da a María?
   f) El vino (which) bebe es bueno.
   g) Las flores (which) vemos son rosas.
   h) La mujer (who) trabaja es la criada.
   i) El hombre (whom) veo es tu padre.
   j) Mi tío, con (whom) hablo, es viejo.

B Put into words, in Spanish:

   9.05 p.m.;   11.50 a.m.;   12.00;   6.30 p.m.;   3.25 p.m.;   8.45 a.m.;
   1.15 p.m.;   at 4.45 p.m.;   it is 1 o'clock;   it is 7.20 a.m.

(Lesson 4)

A Express in the 'polite' form:

   a) Ves a mi hermana.
   b) No sabéis el número del autobús.
   c) ¿Qué tienes? ¿Adónde vas?
   d) Hablaréis a vuestros amigos.
   e) Vivirás en tu apartamento.

B Put into the future tense:

    a) Tomo las comedias de Calderón.
    b) Comemos a las dos de la tarde.
    c) Viven en el centro de la ciudad.
    d) Bebes una cerveza en la terraza.
    e) Envía un certificado por correo.
    f) ¿Voy al supermercado?
    g) Estáis en la terraza del café.
    h) Son las cinco de la tarde.

C Replace the underlined words by the correct form of *el mío*, etc.:

    a) Voy a mi casa, no a tu casa.
    b) El vendedor está en su tienda, estamos nosotros en nuestras tiendas.
    c) Hablo al sastre de Vd., y Vd. habla también a su sastre.
    d) Ofreceré pescado a sus convidados, no a mis convidados.
    e) Vosotros escribiréis vuestras postales a vuestros padres.

D Translate into Spanish:

my younger brother; his older brother; it is going to be worse; she is better today; in the morning; in the evening; at ten in the morning; we are thirsty; you are right.

E Put into words, in Spanish:

15; 23; 30; 45; 58; 62; 79; 84; 97; 100.

(Lesson 5)

A Translate the words in brackets into Spanish:

    a) Luisa (never) coge el autobús.
    b) (I am not) preocupado; ella no está preocupada (either).
    c) No decimos (anything/nothing) a (anybody).
    d) Mamá no trae (nothing) porque no le gusta (anything).
    e) (No one) toma el taxi.
    f) (I like) los hoteles grandes.
    g) (Mr Fernández likes) el bullicio de la plaza.
    h) (We don't like) ir al teatro.
    i) (They like) la joyería.
    j) (You like) las flores perfumadas.

B Express differently in Spanish:

    a) *Example*: Uno de mis libros—un libro mío.

        Uno de mis primos;   unas de sus poesías;   uno de tus discos;
        una de nuestras cenas;   uno de vuestros televisores.

    b) *Example*: compro—estoy comprando.

        hablo;   comes;   vive;   llamamos;   salís;   beben.

C Complete these sentences with *por* or *para*, and translate into English:

    a) El limpiabotas llega _____ limpiar los zapatos.
    b) Compra rosas _____ trescientas pesetas _____ su amiga.
    c) Continuamos el paseo _____ las calles.
    d) Salen _____ ir a sus oficinas; van _____ autobús.
    e) Le llamaré _____ teléfono _____ decir 'adiós'.
    f) Se quedará en la parada _____ diez minutos _____ esperar el autobús.
    g) ¿Cuántas veces _____ día tomas el café?
    h) Cruzáis la calle _____ el paso de peatones.
    i) Sale el taxi _____ el teatro.
    j) No quiero salir; mi hija va de tiendas _____ mí.

D **a)** Replace the underlined nouns by object pronouns, putting them in the correct place:

        conozco a los ociosos; digo 'buenos días' a Diego; conducen los taxis; reconocerá al sacerdote; hablamos a María; van a visitar las oficinas.

    b) Translate into Spanish:

        she knows me; they are waiting for you (4 ways); he knows us; we look at them; he picks it up (2 ways); they shout to her.

(Lesson 6)

A   Put into Spanish words:

Tuesday 1st July; Thursday 14th September; on May 2nd, 1908; June 23rd; on Sunday 31st December.

B   Translate into Spanish:

   a) Pedro is seventeen years old.
   b) María will be twelve on Friday.
   c) My parents are aged fifty and forty-one.
   d) They show it to me.
   e) Can we give them to her?
   f) He is sending them to me.
   g) I shall tell it to you.

C   Replace by object pronouns the underlined words, changing the word order where necessary:

   a) Le compro las flores.
   b) Te mostraré el libro.
   c) Nos dirán las noticias.
   d) Los vende a Diego.
   e) Las ofrece a Mercedes.
   f) Nos muestra el folleto.

(Lesson 7)

A   Translate into Spanish the words in brackets:

   a) (this) tienda;   (that) abrigo;   (this) consejo;   (that) hija;   (those) trajes;   (these) bañadores;   (those) maletas;   (these) corbatas.

   b) ¿Qué libro es (this one)?   Deseo (that one);   Estudian (these);   ¿Es (this one) tu casa?   No, vivo en (that one);   ¿Qué es (that)?

B   Form adverbs from these adjectives:

principal;   lindo;   libre;   lujoso;   hábil;   claro;   preciso;   difícil.

C   Translate into Spanish, using *lo* where appropriate:

   a) Is it good? No, it isn't.
   b) The interesting thing is this.
   c) That is what I like most.
   d) I don't know how to do this. Do you know?
   e) The best thing is not to come.

83

(Lesson 8)

A Translate into Spanish the words in brackets:

    a) Esta falda es (María's).
    b) Los productos agrícolas son (those which) exportan.
    c) (Those who) cultivan el maíz no son ricos.
    d) (What) veo es un taller.
    e) Aquel hombre es un turista; (the one who) le habla es un guía.
    f) Estas naranjas son (my mother's).
    g) (What) nos gusta es el clima de España.
    h) Tengo mi ensayo, pero no tengo (Diego's).

B (i) Answer in Spanish:

    a) ¿Cuánto tiempo hace que estudias el español?
    b) ¿Hace cuántos siglos fueron vencidos los moros?
    c) ¿Desde cuándo estás en este colegio?
    d) ¿Cuándo fue España muy rica?
    e) ¿Cuánto tiempo hace que estamos aquí?

(ii) Repeat all your answers, in the past tense.

C   Put these questions into reported speech, after '*Me preguntó*', etc.

Example: "¿Quién es Vd.?"   Me preguntó quién era.
"¿Cómo está vuestro padre?"   Nos preguntó cómo estaba nuestro padre.

a) "¿Dónde está tu casa?"
b) "¿Cuántas horas hace que trabajas?"
c) "¿Cómo están los hermanos de Vd.?"
d) "¿A quiénes habla Vd.?"
e) "¿Por qué no andáis por el paso de peatones?"
f) "¿Qué hacéis en el jardín?"
g) "¿Por qué no están Vds. trabajando hoy?"

D   Express in Spanish (in two ways where suitable):

a) Grapes are grown in Andalucía.
b) Tourists are well received by the Germans.
c) The coal will not be exported from northern Spain.
d) The roses were bought by Pedro for Ana.
e) A lot of oil is used in Spain.

E   Express in one word in Spanish each of these phrases:

muy alto;   muy rica;   muy barata;   muy rápidos;   muy buenas.

F   Translate into Spanish:

Isabel the Second;   the first of January;   the third time;   the third man;   the eighth century;   John the Twenty-second;   an hour and a quarter.

(Lesson 9)

A   Translate into Spanish the words in brackets:

a) Luisa, (whose) hija se llama Pilar, es mi tía.
b) Los alumnos en (whose) colegio trabajaba le dijeron adiós.
c) Visitamos el Barrio Gótico, (whose) calles son irregulares.
d) Voy a la tienda (whose) escaparates me gustan.
e) Comprará la casa (the kitchen of which) es moderna.
f) La muchacha (whose) padres la visitan, es mi amiga.
g) Los romanos, (whose) muralla miramos, vinieron de Italia.
h) El estudiante (whose) hermana conozco, es Pedro.
i) La señora, con (whose) hija está trabajando, se llama doña Rosario.
j) El almacén, (the departments of which) son buenos, está en esta calle.

85

B Translate into Spanish:

a) She used to work as a servant.
b) The Town Hall serves as a restaurant.
c) They have just heard the news.
d) We had just come to the village.
e) I am going to England for one month.
f) He went to work in a factory every day.
g) She buys a book for him;   she buys a book for herself.
h) They are dancing;   he was falling;   he is living;   she is asking.
i) With him;   for me;   on behalf of them;   behind you (4 ways);   after us (2 ways).

C Complete these sentences with the appropriate form of *ser* or *estar* and translate into English (use the present tense):

a) La iglesia _____ pequeña, no puede _____ una catedral.
b) Yo _____ la profesora de inglés. _____ en mi colegio.
c) Jenny y sus colegas _____ diciendo adiós a los alumnos.
d) ¿Quién _____ aquel hombre? _____ mi hermano; _____ sacerdote.
e) El señor Gómez, ¿ _____ hombre de negocios?
f) ¿Qué _____ a la izquierda de la Plaza? _____ el Ayuntamiento.
g) Este arquitecto _____ famosísimo; _____ uno de los mejores.
h) Las muchachas _____ preocupadas. _____ visitando un taller tradicional.
i) La exposición _____ interesante. _____ terminada.
j) ¿Qué hora _____? _____ las tres y cuarto. Todavía no _____ tarde.
k) Las murallas _____ de ladrillo; _____ altas; _____ caídas.
l) Yo _____ contento. Tu _____ viejo. Ellos _____ populares.
m) El edificio _____ hecho de piedra; _____ muy conocido; _____ grande.
n) Las joyas _____ decoradas de oro; _____ vendidas por la gente de Toledo.
o) La carta _____ escrita; _____ escrita bien; _____ escrita por María.

OCÉANO
ATLÁNTICO

GOLFO DE
MÉJICO

(LAS ISLAS
BAHAMAS)

MÉJICO

CUBA

LA REPÚBLICA
DOMINICANA

(JAMAICA)

GUATEMALA
HONDURAS
NICARAGUA

COSTA RICA

PANAMÁ

(TOBAGO)
(TRINIDAD)

R. Orinoco

VENEZUELA

GUAYANA

COLOMBIA

EL
ECUADOR

R. Amazonas

EL
PERÚ

EL BRASIL

OCÉANO
PACÍFICO

BOLIVIA

R. Paraná

EL
PARAGUAY

C H I L E

LA
ARGENTINA

EL URUGUAY

Río de la Plata

87

Lesson 11

GRAMMAR

Stem-changing Verbs—Preterite Tense
(See Lessons 6, 7)

Stem-changing verbs of the **–AR** and **–ER** conjugations have no stem-change in the preterite.

Verbs of the **–IR** conjugation (types 2 and 3) have a changed stem in the 3rd persons singular and plural of the preterite: change E to I, and O to U; for example:

prefirió, prefirieron; murió, murieron; pidió, pidieron

El monasterio de Montserrat

Present Participles

The present participles of stem-changing verbs of types 2 and 3 are formed with the changed stem of the preterite; thus:

PREFERIR   prefirió   prefiriendo   [type 2 **ie–i**]
MORIR   murió   muriendo   [type 2 **ue–u**]
PEDIR   pidió   pidiendo   [type 3 **i–i**]

Prepositional or Strong Pronouns
(continued from Lesson 9)

With the preposition **con** (with) the following special forms are used instead of **mí, ti, sí**:

> **conmigo, contigo, consigo** (*Note*: ONE word in each case.)

For example:

> **Siempre iba a la estación conmigo**   He always went to the station with me

Remember that **sí** is reflexive. For example:

> **Voy al teatro con él**   I go to the theatre with him
> **Lleva su maleta consigo**   He takes his suitcase with him (= himself)

89

Infinitive Constructions with Prepositions

Prepositions are always followed by the infinitive form of a verb (see Lesson 4). Some idioms to note are:

sin querer	unintentionally
al llegar	on arriving
al entrar	on entering, etc.
por haberme recibido	*on account of having* received me
acabar de . . .	to have just . . .
acabo de verle . . .	I have just seen him
volver a . . .	to do something again
volveré a escribirlo	I shall write it again
tener que . . .	to have to . . .
tenemos que salir	we must go out

(Further idioms will be found in Lesson 19.)

Virolai de Montserrat

Tornada

Ro - sa d'a - bril, Mo - re-na de la ser - ra, de Mont-ser - rat es - tel: il - lu - mi - neu la ca-ta-la-na ter - ra, gui - eu-nos cap al Cel, gui - eu-nos cap al Cel.

Expressions of Time

por la mañana	in the morning
por la tarde	in the afternoon/evening
por la noche	at night
mañana por la mañana	tomorrow morning
hoy	today
hoy (en) día	nowadays
ayer	yesterday
anteayer	the day before yesterday
mañana	tomorrow
pasado mañana	the day after tomorrow
anoche	last night
de hoy en ocho días	a week today
de mañana en quince (días)	a fortnight tomorrow

The Perfect Tense

The perfect tense is formed with the present tense of the verb **haber** (to have) followed by the past participle of the main verb.

The past participle never agrees in the perfect (nor in any other compound tense).

Past participles (regular):

−**AR** verbs   add −**ADO** to the stem of the infinitive

−**ER**⎫
−**IR**⎭verbs   add −**IDO** to the stem of the infinitive

For example:

habl*ado*, com*ido*, viv*ido*

(*Note*: There are some verbs with irregular past participles, to be met later.)

Meaning: **He hablado**   I have spoken
                    Hemos comido We have eaten
                    Ha vivido   He has lived

The perfect tense exactly translates the English perfect.

Word order: do not split the two parts of the tense.

        Questions:
        ¿No *han visitado* Vds. el museo?   Have you not visited the museum?

        With an adverb:
        ***Ha escuchado frecuentemente* la radio**   He has often listened to the radio.

        With an object pronoun:
        Los ha comido   He has eaten them.

Letters

The writer's full address is written on the reverse flap of the envelope. The name of the town only is given at the head of the letter, above the date.

Note the correct ways of setting out the beginning of the letter:

either   **Querida Mamá: Te escribo para decirte . . .**
or   **Querida Mamá,**
                              Te escribo para . . .

Letter openings

(1) To a relation or friend:

Querido/Querida amigo/amiga:	Dear John/Mary
Querida María:	Dear Mary
Querido abuelo:	Dear Grandfather

(2) To an acquaintance or a person senior to oneself:

Estimado/Estimada señor/señora:	
Estimada amiga:	Dear Mr/Mrs/Miss Smith
Apreciado amigo:	

(*Note*: **Estimado señor**, NOT **Estimado señor Gómez**.)

(3) For a formal or business letter:

Muy señor/señora mío/mía: Dear Sir/Madam

Letter endings   (corresponding to openings (1), (2), (3) above)

(1)   **Afectuosamente,**   *or*   **Mucho cariño,**
        Pedro   **Pedro**

   or **Un fuerte abrazo de tu amigo/nieto/etc.,**
                                    Pedro

(With love from)

(2) **Reciba un cordial saludo de su amigo,**
   Pedro
   or **Pedro Sánchez**

   . . . su amiga,
   Pilar
   or **Pilar Sánchez**

   or **Le abraza afectuosamente (su amigo),**
   Pedro
   or **Pedro Sánchez**

   (Yours sincerely)

(3) **Le saluda atentamente s.s., q.e.s.m.,**
   Pedro Sánchez

   (seguro servidor,
   que estrecha su mano)

   or **Le saluda atentamente sª.sª., q.e.s.m.,**
   María Sánchez

   (segura servidora,
   que estrecha su mano)

   or as above, omitting **'s.s., q.e.s.m.'**

   (Yours faithfully)

For a business letter, the full address of the sender is sometimes also put at the top of the page on the right, with the date, as in English. On the left, slightly lower, put the name and address of the person or firm to whom the letter is addressed. The writer's full name and style should be shown clearly after his or her signature or on the reverse of the envelope.

Note: There are many other ways of beginning and ending personal letters besides those given here. Students can observe and imitate forms used in any letters they may receive.

Stem-changing Verbs

Preterite Tense

TEMBLAR	MOSTRAR	VOLVER
temblé	mostré	volví
temblaste	mostraste	volviste
tembló	mostró	volvió
etc.	etc.	etc.

PREFERIR	PEDIR	MORIR
preferí	pedí	morí
preferiste	pediste	moriste
prefIrió	pIdió	mUrió
preferimos	pedimos	morimos
preferisteis	pedisteis	moristeis
prefIrieron	pIdieron	mUrieron

Perfect Tense

(Present tense of **HABER** + past participle)

HABLAR	COMER	VIVIR
he hablado	he comido	he vivido
has hablado	has comido	has vivido
ha hablado	etc.	etc.
hemos hablado		
habéis hablado		
han hablado		

REFRÁN (proverb or saying)

Llamar al pan, pan y al vino, vino   To call a spade a spade

—EL VIAJE DE BARCELONA A MADRID—

(Una carta de Jenny a la madre de su amiga Pilar)

Madrid,
1° de agosto de 19 . . .

Estimada señora: Una vez instalada en la Pension Octavia, me apresuro a coger la pluma para expressarle mi agradecimiento por haberme recibido tan amablemente en su casa. Los quince días que acabo de pasar con ustedes fueron unos de los más agradables de mi vida.

Gracias a Pilar, que es tan buena amiga mía, he visitado todos los monumentos importantes de Barcelona y sus alrededores. La famosa catedral de la Sagrada Familia fue muy interesante, y la réplica del barco de Cristóbal Colón, pero lo que me impresionó más fue el monasterio de Montserrat. No olvidaré nunca la música de su coro cantando el 'Virolai'. Aquellas voces de niños, con su timbre típicamente español, me encantaron.

El viaje ayer fue muy fácil. Son buenos los trenes españoles, ¿verdad? Habiendo sacado mi billete en la taquilla, encontré un compartimento de segunda clase, 'no fumadores', donde había otras jóvenes, quienes charlaron conmigo, y así pasamos muy bien las horas. Cuando empezamos a tener hambre, comimos los bocadillos que cada una traía consigo. ¡Me gusta tanto el pan español! Creo que como demasiado.

Un incidente nos hizo reír mucho. Cuando llegó el revisor y nos pidió los billetes, un señor que dormía en un rincón, se despertó y sin querer le ofreció un billete de autobús caducado. El revisor lo tomó en serio y estuvo a punto de llamar a la policía en la próxima estación. El pobre señor, que tenía su billete de ida y vuelta correcto, cuando entendió la verdad, ¡casi murió de vergüenza! Pero todo acabó bien, afortunadamente.

Al llegar a Madrid bajé al andén y llamé a un mozo que me ayudó a poner mi maletín y mis dos maletas, que eran pesadas, en un taxi. Preferí no tomar el Metro con todo aquel equipaje.

Anoche la señora de esta pensión me mostró un pequeño restaurante en esta misma calle donde dijo que se puede comer bien, pero como estuba cansada preferí quedarme a cenar en la pensión. Hoy hemos hablado de las cosas que debo ver en Madrid. Ella ha vivido en la capital toda su vida y la conoce muy bien.

Volveré a escribirle antes de dejar Madrid. Otra vez les doy las gracias a usted y a su marido, y a toda la familia. Recuerdos y un abrazo para Pilar.

Afectuosamente,
Jenny

───EXERCISES───

1. In these sentences, put the verb into the following tenses: (i) perfect, (ii) future, (iii) imperfect, (iv) preterite.

   a) Estoy en la casa de mis abuelos.
   b) Luisa, ¿bebes agua con la comida?
   c) Mi tío Augusto vive cerca de la fábrica.
   d) Vd. me ofrece la edición barata del libro.
   e) Encontramos a Diego en el estanco.
   f) Vais a la estación donde tomáis el tren rápido.
   g) Mis hermanos duermen en el piso segundo.
   h) Discuten seriamente lo que compran.
   i) El revisor nos pide los billetes.
   j) Pilar no prefiere viajar por avión.

2. Translate into Spanish:

   with me;   with them (2 ways);   for her;   after me;   without it (2 ways);   with you (5 ways);   for her own benefit;   he took it with him;   I chat with him.

3. Answer in Spanish, using pronouns where possible:

   a) ¿Por qué coge su pluma Jenny?
   b) ¿Quién ha recibido a Jenny en su casa?
   c) ¿Le ha recibido a Vd. también?
   d) ¿Dónde sacamos los billetes para los viajeros?
   e) ¿Quiénes ayudan a los viajeros con las maletas?
   f) ¿Qué bocadillos comieron las jóvenes durante el viaje?
   g) ¿Ha tomado Vd. el Metro hoy? ¿Por qué?
   h) Si vas a Montserrat, ¿verás la iglesia del monasterio?
   i) ¿Escribe Jenny a mí y a Vd.? ¿A quién escribe? ¿Volverá a escribirle?
   j) ¿Viajó Pilar a Madrid con su amiga?

4. Answer in Spanish:

   a) ¿Cuánto tiempo pasó Jenny en Barcelona?
   b) ¿Quién le enseñó los monumentos? ¿Cuál prefirió?
   c) ¿Dónde escuchó un buen coro?
   d) ¿Los trenes españoles? ¿cómo le parecen a Jenny?
   e) ¿A Jenny le gusta fumar? ¿Cómo lo sabe Vd.?
   f) ¿Qué hizo Jenny durante el viaje?
   g) ¿Quién durmió en el tren? ¿Cuándo se despertó?
   h) ¿Qué tipo de billete le ofreció al revisor? ¿Qué billete debía darle?
   i) ¿Qué equipaje tenía Jenny?
   j) ¿Dónde cenó ella esa noche? ¿Por qué no salió?

5. Translate into English:

   a) Tendré que darles las gracias por haberme ayudado.
   b) Acabamos de cenar. Ahora vamos a tomar café.
   c) Al salir de la pensión encontró a su amigo.
   d) Dejó su maleta en el tren sin querer.
   e) Le gustó tanto el museo que volvió a visitarlo.

6. Complete the following with the correct form of the pronoun:

   Example: Él lo toma con _____. Él lo toma para _____.
              Él lo toma consigo. Él lo toma para sí.

   a) Yo lo tomo con _____. Yo lo tomo para _____.
   b) Tú lo tomas con _____. Tú lo tomas para _____.
   c) Ella lo toma con _____. Ella lo toma para _____.
   d) Nosotros lo tomamos con _____. Nosotros lo tomamos para _____.

   e) Vosotros lo tomáis con _____. Vosotros lo tomáis para _____.

   f) Vds. lo toman con _____. Vds. lo toman para _____.

7. Write in Spanish the following short letters:

   a) A letter of thanks from a student to a friend's father who gave him or her lunch at a hotel.
   b) Pilar writes to a friend, Conchita, who lives in Salamanca, asking her to meet Jenny and show her round that town, later in August.
   c) Señor Enrique Fernández writes to the Hotel Moderno in San Sebastián to make a reservation for three weeks.

8. Oral work: Jenny has just arrived at the Pensión Octavia. She pays the taxi driver, rings at the door and is admitted by the maid, and then is greeted and shown her room by the proprietress, señora Gómez, who also gives her various helpful pieces of information. Enact these conversations. (Try to use some *perfect tenses* where suitable.)

Lesson 12

GRAMMAR

Verbs with Spelling Changes

Some verbs, which are quite regular, need changes of spelling in their stems in order to retain the correct sound; for example:

Z before E or I ending becomes C, as in **empecé** (**EMPEZAR**)
G before A or O ending becomes J, as in **cojo** (**COGER**)

Further changes will be met in Lesson 13.

Comparative Constructions

The comparative of an adjective or adverb is formed with **más** (more) or **menos** (less). The adjective must agree with the noun it qualifies, as usual. For example:

más favorable	more favourable
más linda	prettier
más curiosamente	more curiously
menos caro	less expensive

'Than' is translated by **que**, except when followed by a number (or a fraction), in which case **de** is used. For example:

El cine es más popular en España que en Inglaterra
El teatro es menos popular que el cine
Tengo más de siete primos
Durmió más de media hora (DORMIR (to sleep), like **MORIR)**

'As . . . as' is translated by **tan** (adjective) **como, tanto** (noun) **como**. For example:

Esta película es *tan* buena *como* la otra
Tengo *tanto* dinero *como* Vd.
Bebe *tanta* cerveza *como* yo

98

Similarly, in the negative form, for example:

Esta película no es *tan* buena *como* aquélla   This film is not as (not so) good as that one

Note: **tanto** is an adjective and must agree.

The superlative is formed by putting the appropriate definite article before the comparative; for example:

hábil, más hábil, el más hábil
lindas, más lindas, las más lindas
rápidamente, más rápidamente, lo más rápidamente (*lo* because adverbs do not agree (neutral article))

Note the following idiomatic constructions:

Me gustaron más que nada *los de* el Greco	I liked better than anything *those of* El Greco
***Lo* que quiero más**	*What* I want most
***Es* el museo que me interesa más**	*It is* the museum . . .
***Son* los dibujos que me interesan más**	*It is* the drawings . . .

Pronouns after comparatives: After a comparative, use the subject form of the pronoun; for example:

Estoy tan cansada como tú

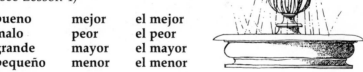

Irregular comparatives and superlatives

Adjectives (see Lesson 4)

bueno	**mejor**	**el mejor**
malo	**peor**	**el peor**
***grande**	**mayor**	**el mayor**
***pequeño**	**menor**	**el menor**

*The regular forms **más grande, más pequeño** also exist. When referring to *people*, use **mayor, menor** to mean 'older', 'younger', and the regular forms to mean 'taller', 'smaller'. For example:

Mi hermana menor es más grande que yo   My younger sister is taller than me

(Further comparative constructions appear in Lesson 13.)

Adverbs:

bien	**mejor**	**lo mejor**
mal	**peor**	**lo peor**
mucho	**más**	**lo más**
poco	**menos**	**lo menos**

99

Idiomatic Uses of Lo (see Lessons 5 and 7)

The neutral word **lo** can be used either as an article or as a pronoun in various ways, some of which have been met already; for example:

> **Lo bueno; lo que tengo**
> **¿Qué es? No lo sé**
> **¿Son caros? No lo son**

Note also:

Trabaja lo mejor que puede	He works as well as ('as best') he can
He escrito todo lo que puedo	I have written all (that) I can
Parece que es pobre, lo que me sorprende	It seems he is poor, which surprises me

El Prado (Madrid)

'The Former', 'The Latter'

The demonstrative pronouns (see Lesson 7) are used to express 'the former', 'the latter'. In this case, the forms of **aquél** are used rather than **ése**, etc.

(Remember that 'the latter' is 'this one', i.e. nearer to you because more recently mentioned than 'the former', i.e. 'that one further away'.)

Aquí ve Vd. mi casa, y la de Juan;	Here you see my house and Juan's;
ésta es moderna, aquélla es más vieja	the latter is modern, the former is older

Irregular Past Participles

There are a number of verbs with irregular past participles which must be learnt in order to form the perfect tense. Like **descubrir** (to uncover, discover), is **cubrir** (to cover) and **abrir** (to open). Like **escribir** (to write) is **describir** (to describe). Like **volver** (to return, go back) is **devolver** (to give back).

Past participles:

> **descubierto, cubierto, abierto, escrito, descrito, vuelto, devuelto**

Past Participles Used as Adjectives and as Nouns

Many past participles are used as adjectives, agreeing in the usual way with the nouns they qualify. For example:

La ventana está abierta	The window is open
Un chico llamado Juan	A boy called Juan
Sus cuadros pintados	His painted pictures

Some past participles are used as nouns. (In the majority of cases the feminine form is used, but not all cases.) For example:

la salida	the way out (**SALIR**)
la comida	the meal (**COMER**)
la vuelta	the return (**VOLVER**)
el hecho	the fact, deed (**HACER**)
el helado	the ice-cream (**HELAR** to freeze (like **temblar**))
la entrada	the way in, the entrance ticket (**ENTRAR**)
la corrida	the bullfight (**CORRER** (to run))

The Pluperfect Tense

This tense is formed similarly to the perfect, but using the *imperfect* of **HABER** and the past participle of the main verb.

Other compound tenses formed with various tenses of **HABER** are the future perfect (future of **HABER**) and the conditional perfect (conditional of **HABER**). The use of the past anterior (*preterite* of **HABER**) will be learnt in Lesson 16. For example:

Perfect	**he hablado**	I have spoken
Pluperfect	**había hablado**	I had spoken
Future perfect	**habré hablado**	I shall have spoken
Conditional perfect	**habría hablado**	I would have spoken
Past anterior	**hube hablado**	I had spoken

Note the spelling changes in

	EMPEZAR [ie] (to begin)	**ALMORZAR [ue]** (to have lunch)
Preterite:	empecé	almorcé
	empezaste	almorzaste
	etc.	etc.

	COGER (to pick up, catch) (also **ESCOGER** (to choose))
Present:	cojo
	coges
	etc.

Perfect Tense

Verbs with irregular past participles:

ABRIR (to open)	he abierto, etc.
CUBRIR (to cover)	he cubierto, etc.
DECIR (to say, tell)	he dicho, etc.
DESCRIBIR (to describe)	he descrito, etc.
DESCUBRIR (to discover, uncover)	he descubierto, etc.
ESCRIBIR (to write)	he escrito, etc.
HACER (to do, make)	he hecho, etc.
MORIR (to die)	he muerto, etc.
PONER (to put)	he puesto, etc.
VER (to see)	he visto, etc.
VOLVER (to return)	he vuelto, etc.

(also **DEVOLVER** (to give back), **ENVOLVER** (to wrap up))

Pluperfect Tense

(Imperfect tense of **HABER** + past participle)

HABLAR	**COMER**	**VIVIR**
había hablado	había comido	había vivido
etc.	etc.	etc.

REFRÁN

Dicho y hecho   No sooner said than done

—EN MADRID—

(Un extracto del diario de Jenny.)

MARTES 2 DE AGOSTO.

¡Qué día tan ocupado ha sido! He visto tantas cosas.

Me levanté temprano, me desayuné con una taza de café con leche y un bollo y salí para ver la ciudad. Empecé por ir a la Plaza Mayor que es una de las pocas partes viejas de Madrid. Después pasé a la 'Gran Vía' (Avenida de José Antonio— ¿Quién fue él? Tendré que descubrirlo). Busqué un banco para cambiar unos cheques de viajero. Noté que se puede comparar con Piccadilly en Londres. He descubierto que el cambio es algo más favorable este año—¡tanto mejor!

Habiendo andado cierto tiempo, penetré en una boca de Metro y tomé un tren hasta la Plaza de la Cibeles. Allí cerca está el Prado. Me quedé en el museo hasta la hora de comer (las dos) pero es imposible ver todo en una visita. No me habían dicho que era tan grande.

Me limité a los artistas españoles. No me gustaron los dibujos satíricos de Goya, aunque hay que admitir que son muy interesantes. Goya quiso llamar la atención sobre los males de la vida social y política del siglo diecinueve, y sin duda lo hizo. Pero aquellos hombres grotescos que tienen los brazos y las piernas torcidos, narices enormes, y feas bocas llenas de dientes negros me dieron horror. Lo que preferí fue su pintura.

103

Los cuadros de Velázquez me impresionaron, sobre todo sus retratos. Me gustaron más que nada los de el Greco, que tienen más color que aquéllos. Sus figuras son menos realistas que las de Velázquez; el Greco pintaba caras, cuerpos y manos curiosamente alargadas, pero muy expresivas.

Almorcé en un restaurante. Escogí del "menú turístico", que ofrecía tres platos:

1º entremeses o sopa.

2º pescado o carne, con patatas fritas, y la legumbre del día (judías) o ensalada.

3º queso, helado, flan, o frutas naturales.

Bebí agua mineral, como tenía tanta sed como hambre.

A eso de las tres, fui a los jardines del Retiro y me senté a descansar bajo unos árboles que daban sombra. ¡Había andado demasiado! Hacía mucho más calor que en Londres, pero me pareció menos desagradable. Aquí el aire no es tan húmedo como allí, y por eso molesta menos. Después de más de cuarenta minutos me levanté y salí del parque para coger un autobús. Tenía ganas de volver a mi pensión para seguir la excelente costumbre de dormir la siesta.

Por la tarde fui al cine. El cine es mucho más popular en España que en Inglaterra. Vi una película americana, llamada 'La guerra de los satélites'.

Estoy cansadísima. Basta por hoy. He escrito todo lo que puedo.

El Retiro (Madrid)

EXERCISES

1. Translate into Spanish the words in brackets:

   a) Madrid es (smaller than) Londres.
   b) Los ingleses no tienen (as many) cines (as) los españoles.
   c) Estos árboles son altos; ésos son (taller) y aquéllos son (the tallest).
   d) (What he likes best) es el pescado.
   e) Mi almuerzo costó (less than) mi cena, pero fue (as good as) ella.
   f) Yo viajo mucho; mi padre viaja (more) y mi hermano viaja (most). Él viaja (more than me).
   g) Mi carta será (as long as) la tuya. Será (the longest) que he escrito.
   h) Su billete costó (more than eight hundred) pesetas pero fue (cheaper than) el nuestro.
   i) ¿Cree Vd. que Velázquez pintaba retratos (as well as) Goya?
   j) Tu hermana es (older than) you, pero su trabajo es (worse).

2. Translate into Spanish:

   a) What they will like best.
   b) What we used to like least.
   c) It is the beans that I like best.
   d) It was the park that you liked best.
   e) What she likes best is swimming.
   f) All that you need.
   g) All that they had eaten.
   h) All that we have made.
   i) As well as you can.
   j) She is better, which is good news.

3. (i) Put into the perfect tense the underlined verbs in the following sentences:

   a) Me <u>levanté</u> temprano esta mañana.
   b) <u>Salí</u> para ver la ciudad.
   c) No me <u>gustaron</u> los dibujos satíricos.
   d) Goya <u>quiso</u> llamar atención sobre los males sociales.
   e) Sin duda lo <u>hizo</u>.
   f) Por la tarde <u>fuimos</u> al cine.
   g) <u>Visteis</u> una película americana.
   h) El camarero <u>puso</u> el menú sobre la mesa.
   i) José Antonio Primo de Rivera no <u>murió</u> recientemente.
   j) El museo se <u>abrió</u> por la tarde.

   (ii) Put the same verbs into the pluperfect.

   105

4. Translate into Spanish:

    a) These drawings are uglier than those.
    b) We saw pictures by Goya and Velázquez; he said that the former were better than the latter.
    c) Do you like this salad? No, I want that one.
    d) He travelled on the bus and the underground. He preferred the latter.

5. Complete in Spanish, using constructions with *lo*:

    Example: Las cosas buenas. _____ bueno.   *Lo* bueno.
                Ha escrito una carta, _____ me interesa. *Lo que* me interesa.

    a) Las cosas que no me gustan. _____ no me gusta.
    b) Todas las cosas que comen. _____ comen.
    c) Todas las cosas nuevas. _____ nuevo.
    d) Me dice que es alemán, _____ me sorprende.
    e) ¿Entiende Vd. las cosas que dice? ¿Entiende Vd. _____ dice? No, no _____ entiendo.

6. Answer in Spanish:

    a) ¿Se escribe un diario personal por la mañana o por la noche?
    b) ¿Con qué desayunó Vd. esta mañana?
    c) ¿Qué es la 'Gran Vía'?
    d) ¿Dónde se puede cambiar los cheques de viajero?
    e) ¿Cuántas pesetas vale una libra esterlina (£1)? ¿Es favorable el cambio para los ingleses ahora?
    f) ¿Qué es el Prado? ¿Dónde está?
    g) ¿Qué tipo de cuadro hacía Francisco Goya?
    h) ¿Qué otros artistas españoles conoce Vd.?
    i) ¿Cuál es su comida favorita?
    j) ¿Cuándo se duerme la siesta?

7. Write in Spanish a self-portrait (*un autorretrato*).

8. Oral work: Describe someone in the room with you, so that others can guess who it is.
The Special Word Lists on pp. 184–6, as well as the vocabulary used in this Lesson, will be helpful for Exercises 7 and 8.

Lesson 13

---GRAMMAR---

The Conditional Tense

The conditional tense is formed by adding to the stem of the future the endings used for the imperfect of **–ER** and **–IR** verbs. The same endings are used for the conditional of *all* verbs.

The conditional tense is used to express 'would'; for example:

Le llamaría   I would call him
Viviría allí   He would live there

(*Note*: Avoid, until the past subjunctive has been learnt in Lesson 18, sentences with IF requiring a conditional, for example, If I were Brazilian I *would speak* Portuguese.)

The conditional perfect is formed with the conditional of **HABER** + the past participle (see Lesson 12).

Universidad de Salamanca: patio de las Escuelas Menores

Use of *E* instead of *Y*

Avoid using **Y** (and) before a word beginning with the same sound (**i** or **hi**). Use **E** instead. For example:

    venían e iban   they came and went
    padres e hijos   fathers and sons

Similarly, replace **O** (or) by **U** when the following word begins with **o** or **ho**. For example:

    siete u ocho   seven or eight
    mujeres u hombres   women or men

Salamanca: la Plaza Mayor

Relative Pronouns with Prepositions

el cual	la cual	los cuales	las cuales
el que	la que	los que	las que

These forms are used to refer to *things*, after prepositions. For example:

la ciudad en la cual (la que) nació   the town in which he was born
los lápices con los cuales escribimos   the pencils with which we write

(*Note*: **Donde** (where) can often be used instead of *en el cual etc.*)

Referring to *people*, these forms may be used after prepositions, but **quien, quienes** are preferable. For example:

la mujer { **con quien** / **con la cual (la que)** } **se casó**   the woman (whom) he married

los hombres a quienes vio   the men (whom) he saw

108 (*Note*: One can also say **los hombres que vio.**)

Comparative Constructions (continued from Lesson 12)

When the *second part* of a comparison is a *clause*, instead of **que** (than) use:

(1) **del que, de la que, de los que, de las que** to agree with the noun which is the first part of the comparison. For example:

Bebe más *vino del que* debería	He drinks more wine than (that which) he ought
En el Prado hay más *cuadros de los que* podemos ver	In the Prado there are more pictures than we can see

(2) **de lo que** (neutral) to refer to the clause which is the first part of the comparison. For example:

Salamanca es *más tradicional de lo que* esperaba	Salamanca is still more traditional than I expected
Me interesó *menos de lo que* creía mi amiga	It interested me less than my friend believed

Idiomatic constructions

(1) 'The more ... the more', etc. To translate this idiom, use **cuanto más/menos ... tanto más/menos.** For example:

Cuanto más veo, tanto más quiero ver	The more I see, the more I want to see. (Adverbial, so no agreement of **cuanto, tanto**)
Cuantas más palabras aprendo, tantas menos me quedan por aprender	The more words I learn, the fewer remain for me to learn (still to be learnt). (Adjectival, so **cuantas** and **tantas** agree with **palabras**)

(2) **'Quien más ...'** For example:

Quien más tiene, más quiere	He who has most (more) wants most (more)
Quien menos trabaja, menos gana	He who works least earns least

(3) **'More and more',** etc. This is rendered by **cada vez más/menos** (literally 'each time more/less'). For example:

Se hace cada vez más amable	She becomes kinder and kinder

(4) 'More or less'. This is translated by **poco más o menos.** For example:

He visto una docena de catedrales, poco más o menos	I have seen a dozen cathedrals, more or less

(**Poco** is sometimes omitted.)

109

Nouns in Apposition

The definite article is normally omitted before a noun in apposition, i.e. referring to the same thing as a noun immediately preceding it. For example:

Voy a la Plaza Mayor, perla del siglo 18   I am going to the Plaza Mayor, the pearl of the 18th century

Verbs with Spelling Changes

When the stem ends in G, the hard G sound, as in **PAGAR,** requires the insertion of U when the ending has E or I, as in **pagué.**

Similarly, where a stem ends in C as in **TOCAR** (to touch) the C is replaced by QU before an E or I ending, as in **toqué.**

U in an infinitive such as **SEGUIR** is omitted when the ending is A or O, as in **sigo.**

There are several verbs which, like **CONOCER** (see Lesson 5) have both Z and C in the stem of the first person singular of the present: **conozco.** Such are **NACER** (to be born) and **TRADUCIR** (to translate).

Where I without an accent would come between two vowels, a Y is substituted, as in **creyó.**

Reflexive Verbs

Note the use of these verbs:

casar	to marry (i.e. perform the marriage ceremony)
casarse (con)	to get married (to)
llamar	to call (*or* knock or ring at a door)
llamarse	to be called

For example:

¿Cómo te llamas?   What is your name?
Me llamo Diego   My name is (I am called) Diego

More verbs with spelling changes:

Present Tense

SEGUIR (to follow) [i–i]   *sigo*, **sigues, sigue,** etc.
DISTINGUIR (to distinguish)   *distingo*, **distingues, distingue,** etc.
VENCER (to defeat)   *venzo*, **vences, vence,** etc.
DIRIGIR (to direct)   *dirijo*, **diriges, dirige,** etc.

Preterite Tense

CREER (to believe)   **creí, creiste,** *creyó*, **creímos, creísteis,** *creyeron*

Similarly **LEER** (to read).

PAGAR (to pay)   **pagué, pagaste, pagó,** etc.

Note the accents in these verbs:

Present Tense

CONTINUAR (to continue)   **continúo, continúas, continúa, continuamos, continuáis, continúan**

ENVIAR (to send)   **envío, envías, envía, enviamos, enviáis, envían**

Conditional Tense

HABLAR	COMER	VIVIR
hablaría	comería	viviría
hablarías	comerías	vivirías
hablaría	comería	viviría
hablaríamos	comeríamos	viviríamos
hablaríais	comeríais	viviríais
hablarían	comerían	vivirían

All conditional tenses have the same stem as the future, thus:

DECIR   future: **DIRé**   conditional: **DIRía**
HACER   future: **HARé**   conditional: **HARía**
TENER   future: **TENDRé**   conditional: **TENDRía**

De lo más alto, la caída es peor	The higher you climb, the further you fall
Quien más tiene, más quiere	He who has most, wants most

Salamanca: el puente romano

──────UNA VISITA A SALAMANCA──────

(Extractos del diario de Jenny.)

DOMINGO 7 DE AGOSTO.

Anoche, una amiga de Pilar, que se llama Conchita, me llamó por teléfono desde Salamanca. Me preguntó si me gustaría ir a pasar con ella unos cuantos días, para visitar los monumentos que tienen en aquella ciudad. Ya me he dado cuenta de que Madrid, por estar tan bien situado, es buen centro para hacer excursiones a los varios sitios de interés histórico de Castilla. Sería preciso disponer de muchísimo tiempo para verlos todos, pero tengo intención de ir a Toledo, Aranjuez, Segovia y Ávila.

En todo caso, acepté la amable invitación de Conchita, e iré a Salamanca el viernes próximo por el fin de semana. Hace muchos años que estoy deseando ver la ciudad de Fray Luis de León y de Unamuno, y el río Tormes, en el que nació (según el libro) Lazarillo.

112

****

Lunes 15 de agosto.

¡Qué lugar tan raro es éste! Nunca habría creído en la existencia en el mundo moderno de tanta atmósfera del pasado, a pesar de lo mucho moderno que hay, claro está, como coches y supermercados, agencias de viajes, cafeterías y todo lo demás. Han dejado todos los viejos edificios importantes, lo que es muy bueno.

Salamanca es mucho más tradicional de lo que esperaba. Además, hay tanta elegancia en su arquitectura, sobre todo en la Plaza Mayor, perla del siglo XVIII. He sacado más fotos de las que debería. ¡Van a costarme un dineral!

Lo hemos visto todo, me parece. Conchita me sirvió de guía anteayer, y su hermano Pablo (¡simpatiquísimo!) me acompañó ayer, y también hoy. Él está cursando derecho. Parece muy inteligente. Conchita trabaja de secretaria en una casa editorial. Tiene un novio que trabaja en otra empresa aquí; dice que se casarán en el otoño, si sus padres lo consienten. Son los españoles más formales que nosotros.

Pues, ¿dónde hemos ido? Primero, al puente romano, e imaginé al niño Lazarillo, allá en el siglo XVI, sentado a los pies de su amo, el mendigo ciego, bebiéndole el vino que intentaba beber él. Desde allí se ven claramente las catedrales. Fuimos a visitarlas después. Mi compañera pareció apreciar más la 'nueva', es decir, la catedral gótica, comenzada en 1513, pero más a mi gusto inglés es la 'vieja', construida en el siglo XII (estilo románico).

Pablo y yo visitamos la extraordinaria "Casa de las Conchas" y la Universidad, donde quedé admirada de la sala en la que conferenciaba Fray Luis de León, cuya estatua vimos en el patio de las Escuelas Menores. Fue emocionante pensar que la sala había estado exactamente así, desde hace tantos siglos. (Murió, me dijeron, en 1591.) Pensé que le gustaría la tranquilidad del lugar, como había mencionado la tranquilidad y la serenidad en sus poesías.

113

EXERCISES

1. Put the underlined verbs in the following sentences into (i) the conditional, (ii) the pluperfect, (iii) the conditional perfect:

   a) Pilar me llamó por teléfono.
   b) Tienen muchos monumentos.
   c) Me he dado cuenta de eso.
   d) Iré a Salamanca por el fin de semana.
   e) Vimos la estatua en el patio.

2. Complete the following sentences with the correct form of *quien, el cual*, etc.:

   a) La amiga (with whom) visité la ciudad es muy simpática.
   b) El tren (with which) vine a Salamanca salió de Madrid a las once.
   c) Su hermano (for whom) compró el libro, se llama Pablo.
   d) El puente (by which) se cruza el río, es viejísimo.
   e) Mi prima, (without whom) no quiero ir, no ha llegado.

   (Where more than one pronoun could be used, give the alternatives.)

3. Translate into Spanish:

   a) He paid more money than I knew.
   b) There are fewer houses here than we believed.
   c) This is more difficult than I expected.
   d) The more I have, the more I want.
   e) The more we buy, the less we need.
   f) You are as intelligent as your sister, but less nice!
   g) What he liked best in Salamanca was the main square.
   h) The cathedral has been there for more than seven centuries.
   i) They have as many shells as he (has).
   j) These photos are the worst you have taken.
   k) She was younger than you had told me.
   l) You have more books than you can read.
   m) Lazarillo drank more wine than his blind master.
   n) The hall remains more or less as it was.
   o) This seems stranger and stranger!

4. Translate into Spanish the words in brackets:

   España (and) Portugal; Francia (and) Italy; Majorca (and) Ibiza; hijos (and) hijas; catedrales (and) iglesias; aprender (and) olvidar; no aprenden, (or) olvidan; una cosa (or) another; padres (or) hijos; dos (or) tres.

5. Answer in Spanish:

    a) ¿Qué sabemos de Conchita?
    b) ¿Por qué le llamó por teléfono a Jenny?
    c) ¿Qué hará Jenny viernes próximo?
    d) ¿Cómo es Salamanca?
    e) ¿Cuáles son sus monumentos principales?
    f) ¿Qué trabajo hacen Conchita y Pablo?
    g) ¿Por qué dice Jenny que los españoles son muy formales?
    h) ¿En qué siglo vivió Fray Luis de León? ¿Qué hacía?
    i) ¿Hace cuánto tiempo que hay dos catedrales en Salamanca?
    j) ¿Qué es 'un dineral'?

6. Rephrase the following sentences, using a comparative construction:

    Example: No sabía que la casa era tan grande.
                La casa era más grande de lo que sabía.

                 No sabía que tenía tanto dinero.
                 Tenía más dinero del que sabía.

    a) No sabía que había tantas tiendas. Había más tiendas . . .
    b) No sabía que comía tanto pan. Comía más pan . . .
    c) No sabía que tenía tantos amigos. Tenía más amigos . . .
    d) No creía que los monumentos eran tan interesantes. Los monumentos eran más interesantes . . .
    e) No sabía que era la plaza tan vieja. La plaza era más vieja . . .
    f) No entendían todas las lenguas que hablaban ellos. Hablaban ellos más lenguas . . .
    g) No sacó todas las fotos que quiso. Sacó menos fotos . . .
    h) No le gustaron todos los edificios que vio. Vio más edificios . . .
    i) No tengo todo el dinero que necesito. Tengo menos dinero . . .
    j) No esperaban llegar tan pronto. Llegaron más pronto . . .

7. Find out all you can about *one* of the following subjects, and write in Spanish a composition (about 150 to 200 words) on the chosen subject:

    (a) Ávila.   (b) Segovia.   (c) Lazarillo de Tormes.   (d) Unamuno.
    (e) Fray Luis de León.

8. Oral work: Enact a conversation between yourself and a Spanish visitor to your home town, discussing the interesting buildings and other places of interest to be seen.

Lesson 14

---------------------GRAMMAR---------------------

The Imperative

The true imperative is used only for the familiar forms of 'you'—2nd person singular and plural (**tú** and **vosotros**).

In verbs with regularly formed imperatives, the 2nd person singular has the same ending as the 3rd person singular of the present indicative.

The only irregular imperatives are those listed in this lesson.

Position of object pronouns with the imperative   (see Lesson 5)   Object pronouns, both direct and indirect, normally precede the verb, but they are joined on to the end of the infinitive, present participle, and *positive* commands.

This applies to 2nd person imperatives and also to 3rd person (Vd. and Vds.) which will be learnt in Lesson 15. For example:

*¡Tómalo!	Take it!
*¡Cómelos!	Eat them!
¡Escribidles!	Write to them!
*¡Mostrádmelo!	Show it to me!
¡Sentáos!	Sit down! (Note the omission of the final *d* before the reflexive pronoun *os*.)

Note: Accents must be used in 2nd person singular where the verb ends in a vowel, to retain the stress on the correct syllable, when a pronoun is added. Accents will always be needed when two pronouns are added.

In *negative* commands the object pronouns are placed in their normal position before the verb. (Negative commands will be learnt in Lesson 15.)

Adjectives Used as Adverbs

A few adjectives are used as adverbs, especially in conversational style, as alternatives to the adverbs which also exist, mostly in particular constructions only.

Note the following:

hablar bajo	to speak low, quietly
recién pintado	freshly painted, 'wet paint' (**recién** is a shortened form of **reciente** recent)
¡Cógelo firme!	Hold it firmly!
exacto	exactly
rápido	quickly
sólo	only (note: when used as an adverb, **sólo** has an accent)

Dimensions

Note the use of the verb **tener** in these phrases:

El cuarto tiene cinco metros de ancho por siete de largo	The room is 5 metres wide by 7 metres long
Tenía tres metros de alto	It was 3 metres high
El agua tiene un metro de profundidad	The water is one metre deep

(note: **agua** is feminine)

In this construction with **SER** the words **ancho**, etc., are adjectives and must agree: 'wide', 'long', 'high', 'deep'.

In the first construction, with **TENER, ancho**, etc., are used as nouns: 'width', 'length', 'height', 'depth'.

el metro (metre); **el centímetro** (centimetre); **el kilómetro** (kilometre); **el kilo** (kilo(gram)); **el litro** (litre)

117

'To Have To' and 'Must'—*Hay que, Tener que, Deber, Haber de* (all followed by infinitives)

(See Lesson 4 for the use of infinitives as dependent verbs.)

Hay que is used impersonally to express 'it is necessary to', 'one must'. For example:

Hay que cambiar el decorado	We must (one must) change the decoration
Hay que hacerlo	One must do it/It must be done

The tense may be changed. For example:

Habrá que hacerlo   It will be necessary to do it

Tener que ('to have to' see Lesson 4) is used personally, in any tense. For example:

Teníamos que coger el autobús   We used to have to catch the bus

Deber ('to have to'—expressing a moral obligation) is used personally, in any tense. For example:

Debo visitar a mi abuela   I must visit my grandmother

Note: The conditional tense of **deber** translates the English 'ought to', 'should'. For example:

Deberías venir pronto   You ought to come soon

Deber *de* is used to express probability, where 'must' is used in English. For example:

Tiene un Rolls-Royce y un Mercedes: debe de ser rico	He has a Rolls-Royce and a Mercedes: he must be rich (i.e. I presume he is rich)

Haber de implies that an arrangement has been made. For example:

Ha de venir hoy   He is to come today

The 'Future of Probability'

The future tense is sometimes used to imply probability. For example:

¿Qué hora es? Serán las diez	What time is it? It will be (must be) ten o'clock
Creo que habrán llegado ahora	I think they will have arrived (must have arrived) now

La catedral de Zaragoza

Diminutives and Augmentatives

The diminutive endings –ito, –ita, –cito, –cita, –illo, –illa, –ecillo, –ecita may be added to certain nouns to indicate smallness, youth or affection. For example:

la cuchara	spoon	la cucharita	teaspoon
el gato	cat	el gatito	kitten
el perro	dog	el perrito	puppy
la caja	box	la cajita	little box
el hermano	brother	el hermanito	little brother
Papá	Daddy	Papaíto	Daddy darling
el cuaderno	exercise book	el cuadernito	notebook
la mujer	woman	la mujercita	small woman
el pan	bread	el panecillo	bread roll

The augmentative endings –ón, –ona may be added to indicate largeness or clumsiness. For example:

la silla	chair	el sillón	armchair
la cuchara	spoon	el cucharón	large spoon, ladle
la mujer	woman	la mujerona	big, hefty woman
la caja	box	el cajón	chest

Note: Illogically, **la rata** is a rat, **el ratón** is a mouse, and **el ratoncito** is a little mouse.

119

The Imperative

HABLAR	COMER	VIVIR
habla (tú)	come	vive
hablad (vosotros)	comed	vivid

Irregular forms are found in the following verbs, in the 2nd person SINGULAR only. All 2nd persons plural are regular.

DECIR	*di*	HACER	*haz*	IR	*ve*
	decid		haced		id
OIR	*oye*	PONER	*pon*	SER	*sé*
	oíd		poned		sed
SALIR	*sal*	VALER	*val* (or vale)	TENER	*ten*
	salid		valed		tened
VENIR	*ven*				
	venid				

Stem-changing Verbs:

PERDER	MOSTRAR	SEGUIR	PEDIR
pierde	muestra	sigue	pide
perded	mostrad	seguid	pedid

REFRÁN

Dime con quién andas, y te diré quién eres   Birds of a feather flock together

El señor Fernández visita una tienda de ferretería

—Buenos días, señor. ¿Qué desea?

—Muy buenos. Necesito varias cosas. Es que nos mudamos de casa, y siempre hay la mar de cosas que arreglar. Primero, un paquete de clavos de tamaño mediano, y otro de tornillos. Y papel de lija. Tenemos que renovar el decorado, y eso servirá para preparar la superficie, antes de pintar las paredes.

—Muy bien, señor. ¿Qué más?

—Dos cubos de plástico, por favor, y medio litro de algún detergente bastante fuerte, para limpiar la pintura que puede quedar. Y finalmente, una lámpara de petróleo, proque de momento no hay electricidad, como tienen que poner nuevas instalaciones.

—Tenemos éstas, y también aquéllas, que son más grandes. Cuestan más, pero dan mejor luz.

—Tomaré una de las baratas; no será por largo tiempo. Eso debe de ser todo.

¡Ay! Me acuerdo de una cosa más. Me hacen falta bombillas. Las instalaciones se terminarán un día. Tomo veinte. Así tendré algunos de repuesto.

—¿Eso es todo?

—Sí, lo creo. Muchas gracias.

—De nada, señor. Voy a prepararle la cuenta.

****

—¡Niño! ¡Ven pronto! Lleva estas cosas por el señor. ¿Dónde está su coche?

—Allí cerca del estanco.

—Bueno. Ten cuidado, niño. Cógelo firme.

121

En el piso nuevo

(Los Fernández están tomando algunas medidas)

—Rosa, dame la cinta métrica.

—La tienes en el bolsillo.

—Perdón. Pues, toma el otro cabo. Vamos a medir esta ventana, para ver cuánta tela tendrás que comprar para hacer las cortinas.

—¿Cómo? ¿Las haré yo?

—Sí, querida. No quiero pagar los precios comerciales. Haz lo mejor posible, y todo saldrá bien. Ahora, a ver: Dos metros quince por tres metros exacto. Escríbelo en tu cuadernito.

—Ahora el suelo, para la alfombra.

—Seis metros de largo, y cinco de ancho.

—Son buenas las proporciones de este cuarto, ¿verdad? Dime, ¿qué altura tiene?

—Tiene un poco más de tres metros y medio de alto. No es como esos edificios modernísimos con sus techos bajos, que a mí no me gustan.

Carta de Doña Rosario a su hija

Zaragoza,
12 de agosto

Querida María: Te escribo sólo unas palabras para decirte que ya tenemos el nuevo piso. Fui a verlo con papá anteayer. Me gustó mucho, pero hay que cambiar el decorado. ¡Está hecho de unos colores . . . !

Llámanos, el martes por la tarde, para fijar cuándo podrás venir a verlo. No debes tardar mucho, aunque sigues teniendo demasiado que hacer.

Da mis recuerdos a Juan, y un abrazo a tía Elena, si la ves.

Mil besos, de tu
Mamá

Zaragoza 12 de agosto de 19....

Querida María:

Te escribo sólo unas letras para decirte que ya tenemos el nuevo piso. Fui a verlo con papá anteayer. Me gustó mucho, pero hay que cambiar el decorado. ¡Está hecho de unos colores....!

Llámanos el martes por la tarde para fijar cuándo podrás venir a verlo. No debes tardar mucho, aunque sigas teniendo demasiado que hacer.

Da mis recuerdos a Juan, y un abrazo a Tía Elena, si la ves.

Mil besos, de tu

Mamá

EXERCISES

1. (i) Put the verbs in the following commands into the plural:

   a) ¡Come las patatas!
   b) ¡Dame aquel libro!
   c) ¡Pide el nuevo disco!
   d) ¡Pon la cinta en el suelo!
   e) ¡Vuelve al cuarto!
   f) ¡Ve con Mamá!
   g) ¡Sigue escribiendo las cartas!

h) ¡Muestre <u>las bombillas</u> al señor!
i) ¡Di <u>la medida</u> a la señora!
j) ¡Sal a la calle!

(ii) In the above sentences, replace the underlined nouns by pronouns.

2. Translate into Spanish:

   a) The hall is twelve metres long and six metres wide.
   b) The tower is thirteen metres high.
   c) It is higher than this building which is only ten metres (high).
   d) These curtains are more than a hundred and twenty centimetres wide.
   e) The road is two hundred kilometres long.
   f) Señora Gómez bought a litre of wine, two kilos of potatoes, and half a kilo of grapes.
   g) I shall have to buy a new carpet. I am to choose it tomorrow.
   h) You must write to your poor friend whose brother has died.
   i) They ought not to move house this year.
   j) One must measure with care.

3. Translate into Spanish (two ways where possible):

   a) He did it only once.
   b) Hold it firmly!
   c) I was born in 1965.
   d) He did the best he could.
   e) Speak quietly!
   f) Give me the soup ladle!
   g) Come here! Show it to him!
   h) This is my little son.
   i) He bought two boxes of matches.
   j) The young lady lives in a cottage.

4. Make up commands to which these could be the answers:
   Example: Estoy comiéndola   . . . (la sopa) ¡*Come tu sopa!*

   a) Estamos midiéndolas. . . . (las cortinas)
   b) Estoy comprándolos. . . . (los tornillos)
   c) Pero, no quiero decirlo. . . . (tu nombre)
   d) Sí, voy a limpiarlo. . . . (el suelo)
   e) Estoy haciéndolo. . . . (el trabajo)

5. Write in Spanish a letter from María in reply to the one from her mother saying that she will not be able to come to Zaragoza at present, giving her reason, and asking for more information about the new flat.

6. Translate into Spanish:

Juana liked her new room very much. It had white walls, a blue carpet and white curtains with blue and yellow flowers at the large window. She thought the decoration was very English! She had visited England when she was sixteen, and everything English fascinated her. It was a large room; it was five metres by four.

When Anita came to visit her, she showed her the furniture and the view from the window.

"Look! We can see the mountains!" she said.

"What mountains are they?" asked Anita.

"They are the Sierra Nevada, of course. Don't you know anything about your country?"

"I never learnt Geography at school and this is my first visit to the south", she replied. "How high are those mountains?"

"At the highest point, the Mulhacén, almost three thousand five hundred metres. That is the highest mountain in Spain."

"It is a lovely view," said Anita. "I have always liked mountains."

7. Answer in Spanish:

a) ¿Qué se vende en una ferretería?
b) ¿Por qué no hay electricidad en el nuevo piso?
c) ¿Qué hace el niño en la tienda?
d) ¿Por qué toman los Fernández las medidas de las ventanas?
e) ¿Al señor Fernández, le gusta gastar dinero? ¿Cómo lo sabemos?
f) ¿Qué pondrán sobre el suelo? ¿Sabe Vd. de qué color será?
g) ¿Qué no le gusta a doña Rosario en el piso?
h) ¿Qué tiene que hacer María el martes próximo?
i) ¿De qué tamaño (aproximadamente) es el cuarto donde está Vd. en este momento?
j) ¿Tiene María mucho tiempo libre? ¿Cómo lo sabe Vd.?

8. Oral work:

Enact the conversation between María and her parents when she goes to see the new flat and they show her round the various rooms.

or

Describe one of the rooms in the house or flat where you live: size, colour of paint, curtains, carpet, etc.

125

Lesson 15

---GRAMMAR---

The Subjunctive

The subjunctive mood has two tenses, present and past (imperfect), together with the corresponding compound tenses, perfect and pluperfect.

Formation of the present subjunctive

Take the stem of the 1st person singular of the present indicative. To this add these endings:

-AR verbs: **e, es, e, emos, éis, en**
-ER and -IR verbs: **a, as, a, amos, áis, an**

i.e. in regular verbs, change A to E and E or I to A in the endings of the present indicative; give the 1st person singular the same endings as the 3rd singular.

The same endings are used for regular and irregular verbs.

The stem of almost all irregular verbs is found as indicated above, but there are a few exceptions, which are verbs whose 1st person singular of the present indicative does not end in O. (These will be learnt in Lesson 16.) For example:

HABLAR	present indicative	**habl/o**
	present subjunctive	**habl/e**
VIVIR	present indicative	**viv/o**
	present subjunctive	**viv/a**
DECIR	present indicative	**dig/o**
	present subjunctive	**dig/a**

Use of the present subjunctive as a main verb

(1) *Imperatives*

The present subjunctive (3rd persons singular and plural) is used as the imperative for Vd. and Vds., for both positive and negative commands. For example:

¡Espere un momento, señor!   Wait a moment, sir!

The 2nd persons singular and plural are used instead of the imperative for *negative* commands. For example:

¡Comed el pan! ¡No lo comáis!   Eat the bread! Don't eat it!

The 1st person plural is used to express 'let's'. For example:

¡Llamemos a Juan!   Let's call Juan!
¡No salgamos esta tarde!   Let's not go out this evening!

Note: The present subjunctive of **IR, vayamos** (let's go), is normally replaced by the present indicative **vamos**.

Reflexive verbs such as **decidirse, bañarse, irse** lose the final **s** from the 1st person plural of the present subjunctive used as an imperative. For example:

¡Decidámonos! (for *decidámosnos*)   Let's make up our minds!
¡Bañémonos!   Let's bathe!
¡Vámonos!   Let's go away!

(2) *To express a wish, hope or prayer*
In certain conventional phrases expressing a wish or a prayer the present subjunctive is used. For example:

¡Viva España!   Long live Spain! (May Spain live!)

Mi padre, que en paz descanse . . .   My father, God rest his soul . . .

Similarly, one may express wishes and hopes, introducing the verb with **que** (implying 'I hope that . . .'). For example:

¡Que lleguen pronto!   I hope they come soon!

127

'Cualquiera', Etc.

Cualquiera (cualquier) singular ⎫ any, whatever, whichever (adjec-
Cualesquiera plural ⎰ tive)

Quienquiera ⎫ whoever (pronoun)
Quienesquiera ⎰

These indefinite adjectives and pronouns are formed from **cual** and **quien** and the subjunctive of **querer**.

Note: **Cualquiera** is shortened to **cualquier** when the next word is a singular noun.

Usage

cualquier parte de España	any part of Spain
un libro cualquiera	any book (some sort of book)
Cualesquiera deportes me gustan	I like any sports

When a subordinate clause depends on **cualquiera** or **quienquiera**, it requires a subjunctive, introduced by **que**; for example:

cualesquiera libros que *haya* **leído**	whatever books he may have read
Quienquiera que *haga* **ese trabajo, lo encontrará difícil**	Whoever does this work, he will find it difficult

Note also:

dondequiera	wherever
comoquiera	however
cuandoquiera	whenever
quienesquiera	whoever (plural)

For example:

Comoquiera que lo *hagas* . . .   However you do it . . .

Telephoning

Telephone numbers are spoken in pairs; thus:

22 13 01   **veintidós, trece, cero uno**

Note the use of **¡diga!** or **¡dígame!** when answering the telephone; also the use of **¡oiga! ¡Hola!** is also used. For example:

(Telephone rings)	—**¡Hola! ¡Sí! ¡Dígame!**	'Hallo! Yes! Hallo!'
	—**¡Oiga! ¿Eres Juan?**	'Hallo. Is that John?'
	—**¡Sí! ¡Diga!**	'Yes. Hallo!'

(**¡Diga!** (Tell me!)   **¡Oiga!** (Listen!)   **¡Hola!** (Hallo!))

VERBS

Present Subjunctive

HABLAR	COMER	VIVIR
hable	coma	viva
hables	comas	vivas
hable	coma	viva
hablemos	comamos	vivamos
habléis	comáis	viváis
hablen	coman	vivan

The subjunctive as imperative: For **Vd.** and **Vds.** the 3rd persons singular and plural of the present subjunctive are used as imperative forms.

The 1st person plural of the present subjunctive is used to express 'let's'. The 2nd persons singular and plural are used in place of the imperative for negative commands. (tú and vosotros).

The present subjunctive of some irregular verbs:

VENIR	DECIR	TENER	PONER	CONOCER
venga	diga	tenga	ponga	conozca
vengas	digas	tengas	pongas	conozcas
etc.	etc.	etc.	etc.	etc.

REFRANES

Venga lo que venga	Come what may
Nadie diga: de esta agua no beberé	Never be too sure; don't count your chickens before they are hatched

————PROYECTOS DE VACACIONES————

Juan está telefoneando a su amigo Diego.
Marca el número: 22 43 11   (veintidós, cuarenta y tres, once).

Suena el teléfono.

> —Dígame.
> —¡Oiga! ¿Está en casa Diego Valdés?
> —¿De parte de quién?
> —Soy Juan Gaudí.
> —¿Quién? Repítalo por favor, señor.
> —Juan Gaudí.
> —Sí, muy bien. Se lo diré en seguida. Espere un momento, por favor.

Al poco rato vuelve la criada al teléfono, y le dice a Juan:

> —¡Oiga! Tenga la bondad de esperar un momentito, señor. Ya viene.
> —Muchas gracias.
> —De nada.

Juan aguarda impacientemente un rato, y por fin oye una voz que le dice:

> —¡Diga!
> —¡Oiga! Aquí Juan.
> —Bueno. ¿Fuiste a la agencia de viajes?
> —Sí. Tengo muchos folletos y los precios de los viajes correspondientes a todos los sitios que me interesan. ¿Te gustaría venir a merendar conmigo hoy, a eso de las cinco? Podríamos discutirlo todo entonces. ¡Esperemos encontrar algo bueno!
> —Estupendo. Hasta luego.
> —Adiós.

Y Juan cuelga el aparato.

****

Los dos amigos decidieron ir, después de terminar sus cursos, a pasar cuatro semanas en Tenerife. Habían ahorrado lo suficiente para tomarse una buena vacación. Se decidieron a viajar por avión y a alojarse en una pensión. No hay muchas allí, porque la mayoría de los turistas van a los hoteles (sobre todo los extranjeros), pero éstos son demasiado caros para los estudiantes, en general. Escogieron Tenerife por ser más exótico que cualquier parte de la España peninsular. Pero fue sólo después de mucho argumento sobre los méritos de San Sebastián, u otra playa cercana, como Zaraúz, o de las montañas, que son tan apreciadas por los veraneantes. Pero a Diego le parecía que las montañas eran para los deportes de nieve, nada más.

Ni uno ni otro quiso ir al extranjero. Dijeron que conocían tan poco de su propio país que sería mejor dejar los otros para más tarde.

Ahora van a reservar su vuelo.

————————EXERCISES————————

1. (i) Give the familiar (*tú* and *vosotros*) forms corresponding to the following 'polite' (*Vd.* and *Vds.*) commands:

   dígame;   oigan;   repítalo;   esperen;   tenga la bondad de esperar.

   (ii) Make the above commands negative, in both the familiar and polite forms.

2. Translate into Spanish, in two ways: (i) using the *tú* form, (ii) using *Vd.*
   a) Give me the number; give it to me.
   b) Read the leaflet; please read it.
   c) Speak to them; do not speak to them.
   d) Write the letters; do not write them.
   e) Show him the hotel; do not show it to him.

3. Translate into Spanish (in 4 ways):

   come here;   take care;   don't do it;   go with Juan;   go on talking (use *seguir*).

4. Translate into English:

   cualquier hotel;   cualquier pensión;   una pensión cualquiera; cualesquiera estudiantes;   una cosa cualquiera;   dondequiera que vivan;   cuandoquiera que venga;   comoquiera que lo haga;   a quienesquiera que conozcas;   cualquier cosa que pierdan.

131

5. Answer in Spanish:

   a) ¿Qué hace Juan?
   b) ¿Por qué quiere hablar con Diego?
   c) ¿Qué están planeando?
   d) ¿Por qué no irán a las montañas?
   e) ¿Qué tipo de vacación prefieren?
   f) ¿Cómo viajarán a Tenerife? ¿Dónde se alojarán? ¿Por qué?
   g) ¿Por qué no van al extranjero?
   h) ¿Qué tipo de vacación le gusta a Vd.?
   i) ¿Ha estade Vd. en un hotel? ¿Dónde? ¿Le gustó?
   j) ¿Cuál es la diferencia entre un hotel y una pensión?

6. Write in Spanish a short composition entitled 'Un viaje'. (Use past tenses.)

7. Translate into Spanish:

My friend and I were in town a few days ago and after buying everything necessary in the market, we decided to go into the travel agency to study the brochures. We hope to go to South America one day, but I think we shall have to save a great deal of money first. One can go by air directly to Venezuela or Argentina, and we saw that there are marvellous two or three week holidays, with good hotels, staying in one centre or visiting several towns. I should very much like to see some of the other countries where Spanish is spoken. Well, let's hope! . . .

In the agency all the telephones were busy. We found it fascinating.

"Hallo! 'Sun and Sand' Agency."

"Hallo! Can we tell you the times of trains to León?—Yes, of course. Morning or afternoon?"

"You want to reserve a room with bath for three nights . . . Yes. Hallo! Yes. One moment, sir. I am going to ask . . ."

"Speak more slowly, please; I cannot hear you very well."

"Thank you, that's better. Yes, madam, there are trains every day to Paris."

"Give me your name, please. And your telephone number."

"Hallo! No, *I* did not reserve your rooms. Please explain the problem again."

"Yes, sir. Wait! Yes, five thousand pesetas. There are two flights per day."

"Good morning. To England, in June, yes. I shall have to write to our office in London. Thank you. Goodbye."

"Hallo! No, we have nothing for that date."

"Did you say Lérida?—Oh, Mexico! Listen, sir, this telephone is very bad. What is your number? Hang up, please, and I shall dial you on another instrument. 33 15 41."

8. Oral work:

Enact the discussion between Diego and Juan, as they look through the holiday brochures and consider the advantages and disadvantages of various possible places to spend their holiday, finally coming to a decision.

or

Enact a telephone conversation between a customer and a clerk in a travel agency, making arrangements for a winter sports holiday.

133

——REVISION EXERCISE: LESSONS 11–15——

Translate into Spanish:

1. I showed her the picture. She did not like it, she preferred the other one.

2. Those artists lived and died in Madrid in the eighteenth century.

3. We have chatted too much. Now we must work.

4. He will visit us again. He has thanked us very kindly for having given him dinner.

5. I am going shopping with her, not for her. He will take his suitcase with him. You walked in front of me but *he* walked with me.

6. We have seen the museum and we have discovered a new restaurant which we like. I had lunch there yesterday.

7. Is Picasso as famous as Velázquez? I think he is more famous. Picasso's pictures are those I like best.

8. His face is more handsome than mine, but his teeth are worse.

9. Do you know what she has done? No, and the best thing is that I don't need to know (it).

10. Ana told us that she would make the supper. She cooks better than we thought.

11. They had drunk more red wine than they wanted.

12. Come here! Put the bucket on the floor! Take care! Don't say anything!

13. This street is twenty metres wide; that road is ninety-two kilometres long.

14. He will tell you (it), and you must tell me (it). Tell him, don't tell us.

15. Wherever you go, may you find many good friends!

(Wherever *you* occurs, translate first in the 'familiar', then in the 'polite' form.)

Lesson 16

——————GRAMMAR——————

Use of the Subjunctive as a Subordinate Verb

Note: The following rules apply where the main and subordinate verbs have different subjects.

(1) After a verb of wishing, ordering, forbidding, allowing, preventing, denying, the subjunctive is used as a subordinate verb (introduced by **que**). For example:

Quiero que me visites	I want you to visit me
Niego que sea verdad	I deny that it is true (**negar** (to deny) like **temblar**.)
Mandan que lo traiga yo	They order me to bring it

(2) After a verb expressing a feeling or attitude, including impersonal expressions such as 'it is a pity', the subjunctive is used as a subordinate verb (unless the attitude is one of certainty—see (3)). For example:

Siento que no haya dos habitaciones libres	I am sorry there are not two rooms free
Estoy contento de que le guste	I am pleased that you like it
Es lástima que esté enferma	It is a pity she is ill

(3) The subjunctive is used after verbs expressing doubt, such as **dudar** (to doubt), and **creer, pensar**, when negative or interrogative. For example:

Dudo que esté en Madrid	I doubt if he is in Madrid
No creo que pueda hacerlo	I don't believe he can do it
¿Piensa Vd. que sea ella quien viene?	Do you think it is she who is coming?

After expressions of certainty, including **creer, pensar**, when positive, use the indicative. For example:

Creo que vendrán	I believe they will come
Estoy seguro de que va a llover	I am sure it is going to rain

135

Note that where the main verb and the subordinate verb have the same subject, the *infinitive* is generally used instead of the subjunctive as the subordinate verb. For example:

Quiero que le visites	I want you to visit him
Quiero visitarle	I want to visit him
Estamos contentos de que hayan llegado Vds.	We are glad you have arrived
Estamos contentos de llegar	We are glad to arrive
Me alegro de que puedas ir	I am delighted you can go
Me alegro de poder ir	I am delighted to be able to go

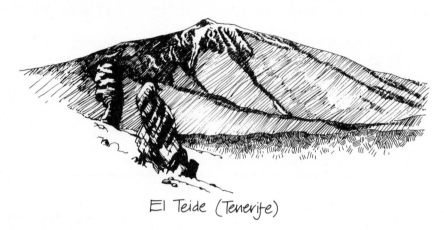

El Teide (Tenerife)

Distances

Note the use of the preposition **a** in this construction:

Las islas están a unos 1.600 kms. de Madrid
El pueblo está a veinte minutos de la ciudad

The Past Anterior Tense

The past anterior (formed with the preterite of **haber** + the past participle) has the same meaning as the pluperfect (see Lesson 12):

hube llegado
había llegado } I had arrived

It is used instead of the pluperfect when the main verb of the sentence is in the preterite, after: **cuando** (when), **apenas** (scarcely), **luego que, tan pronto como** (as soon as). For example:

Luego que hubo visto la película, salió del cine	As soon as he had seen the film, he left the cinema

The 'Absolute Construction'

A past participle may be used adjectivally (agreeing with the subject of the main verb, *or* with the object within its own phrase); for example:

Vista la catedral, partieron	Having seen the cathedral, they went away
Una vez llegados a la estación, sacaron los billetes	Having (once) arrived at the station, they bought their tickets

'Sendos' (f. 'sendas')

This adjective can be used only in plural forms, and means 'one each'. For example:

Las piscinas tienen sendos bares	The swimming pools have a bar each

Expressions of Time (see Lesson 11)

Note the use of the preposition **a** in the following:

al próximo día	(on) the next day
a la mañana siguiente	(on) the following morning
al otro día	(on) the next day (**otro día** (another day))

El drago

137

Present Subjunctive

Irregular forms:

DAR	ESTAR	HABER	SABER	SER	IR
dé	esté	haya	sepa	sea	vaya
des	estés	hayas	sepas	seas	vayas
dé	esté	haya	sepa	sea	vaya
demos	estemos	hayamos	sepamos	seamos	vayamos
deis	estéis	hayáis	sepáis	seáis	vayáis
den	estén	hayan	sepan	sean	vayan

Past Anterior

(Preterite of **HABER** + past participle)

hube hablado	hube comido	hube vivido
hubiste hablado	hubiste comido	hubiste vivido
hubo hablado	etc.	etc.
hubimos hablado		
hubisteis hablado		
hubieron hablado		

REFRÁN

Honra y provecho no caben en un saco   Honour and advantage do not go together

138

———TENERIFE (ISLAS CANARIAS)———

Las islas Canarias se encuentran a unos 1.600 kilómetros de Madrid, así que el vuelo en un avión de reacción no dura muchas horas. Una vez llegados al aeropuerto en el sur de la isla, cogieron un taxi para ir a La Laguna. Esta ciudad es la antigua capital. Es una de las más viejas, y quizás la más española, de las poblaciones de la isla. Tiene una universidad, fundada en el siglo XVIII. Uno de los profesores de Diego en Barcelona había dado a los dos jóvenes una carta de recomendación para un antiguo colega suyo, 'don Fulano de Tal', quien era ahora catedrático en La Laguna. Éste, luego que hubo leído la carta, les invitó a quedarse en su casa aquella noche, lo que aceptaron muy agradecidos, estando bastante cansados.

Al día siguiente, con los consejos del buen catedrático y de su esposa, lograron hallar una pensión estudiantil barata pero adecuada.

—Siento mucho que no haya dos habitaciones libres, dijo la señora,—pero si no les molesta tomar ésta grande con dos camas, creo que estarán bien. A los otros señoritos que estaban aquí, les gustaba.

—No cabe duda, contestó Juan.—No se preocupe.

—Sean Vds. bienvenidos, entonces.

Cuando se hubieron instalado, salieron los dos amigos para ver la ciudad. Puesto que estaban de vacación, se decidieron a visitar todos los

139

sitios de interés, como verdaderos turistas. Pronto se dieron cuenta que, una vez vista la catedral, no queda mucho como monumentos en La Laguna. La verdad es que en las Canarias, lo que interesan son el mar y el paisaje—¡y el clima magnífico!

****

No tardaron mucho en decidir que sería mejor trasladarse a una de las playas, y, habiendo hecho una excursión al sur, que les gustó con su arena dorada, escogieron no obstante el norte, por ser menos árido. En Puerto de la Cruz, a corta distancia por la autopista, hallaron un fantástico complejo de piscinas y hasta un lago artificial, con bares y cafeterías, y mucho sitio para tomar el sol. Además de hoteles de todas clases, hay cafés, discotecas y todo lo que puede entretener a la gente joven. En cambio, el viejo puerto pescador si que sencillo y tradicional.

Habían soñado con buscar algún empleo, acaso como guías para las excursiones turísticas. Pero eso resultó imposible.—No creo que sea fácil, les dijeron por todas partes.—Es que se necesita gente más permanente.

Un día subieron en autocar al cráter del Teide, gran volcán que domina la isla, y subieron en teleférico hasta la cumbre (o casi). Tuvieron suerte, porque cuando hace demasiado viento, no funciona. Fueron igualmente a ver el 'drago' famoso, un árbol tropical que tiene, según dicen, más de mil años de edad. Para la mayoría de sus excursiones se aprovecharon de los autobuses locales que recorren con mucho ruido los caminos no muy buenos que unen los pueblos y pueblecitos, igual que en la Península, excepto que aquí pasan por grandes platanares en vez de olivares.

Sacaron unas fotos de las casas típicas de la isla con sus balcones y contraventanas de madera, detrás de las cuales se sientan las viejas a tomar el fresco de las tardes. Y como los veraneantes, nadaron y se broncearon, y en fin, lo pasaron bien.

—No te preocupes, Papá, dijo Juan a su padre cuando le puso una conferencia telefónica una tarde.—No nos aburrimos, te lo aseguro. Nos divertimos mucho.

—Bueno. Pues, ten cuidado de ti.

Puerto de la Cruz: el lago

140

——————EXERCISES——————

1. (i) Put the verbs given in brackets into the correct form:

    a) (Ir) a coger el autobús muchachos. ¡No (tardar)!
    b) ¡No (hacer) tanto ruido, niños! ¡(Estar) tranquilos!
    c) ¡(Dar) me la mano, señor! ¡No (tener) miedo!
    d) Quiero que don Eugenio (saber) donde estamos.
    e) Sentimos que no (poder) venir nuestros amigos.
    f) Dudo si el teleférico (funcionar) hoy.
    g) Creo que el plátano (encontrarse) solamente en los trópicos.

    (ii) Translate these sentences into English.

2. Translate into Spanish:

    a) The road was thirty seven kilometres long.
    b) The motorway is about twenty metres wide. It has a very good surface.
    c) The coaches do not make so much noise as the local buses.
    d) Teide is more than twelve thousand feet high; in winter it is covered with snow.
    e) Santa Cruz is half an hour's flight from Las Palmas, the capital of Gran Canaria.
    f) We live ten minutes away from the swimming pool.
    g) Let's take advantage of the splendid climate!
    h) He wants us to stay in this hotel, not in that one.
    i) Do you think María will write to me? No doubt she will (write).
    j) As soon as he had learnt to swim, he had to return home.

3. Replace by pronouns the underlined nouns in these sentences:

    a) Luego que hubo leído la carta, invitó a los jóvenes a quedarse en su casa.
    b) Salieron para ver la ciudad, y el catedrático fue con los jóvenes.
    c) ¡Dé sus consejos a los estudiantes!
    d) Buscó la piscina para nadar con sus amigos.
    e) Sentía que no tenía dos habitaciones para las señoras.
    f) Creo que hay arena en la playa; vamos a ver la playa.
    g) No cree que pueda tomar el teleférico. No tomará el teleférico.
    h) ¿Quiere Vd. mostrar los monumentos a Diego? Sí, cualquier día que a Diego le sea conveniente.
    i) Quieren que yo ponga la conferencia telefónica por los jóvenes.
    j) Estoy contento de que hayas encontrado a tu profesor en el hotel.

141

4. Complete in Spanish with the correct form of the verb given in brackets:

   a) Creo que _____ posible; ¿crees que _____ posible? no creo que _____ posible. (Ser)

   b) Siento no _____ venir; siento que tú no _____ venir. (Poder)

   c) Quiere _____ la película; quiere que su hermana la _____. (Ver)

   d) Dudamos que _____ Pedro meñana; no dudamos que _____ él. (Llegar)

   e) Teme que _____ su hijo; Juan teme _____. (Caer)

   f) Digo que Pedro me _____; niego que Anita me _____. (Conocer).

   g) Permite que lo _____ ellos; prohibe que lo _____ yo. (Hacer)

   h) Están encantados de _____ lo; están encantados que lo _____ Vd. (Saber)

   i) Cuandoquiera que _____, espero _____ le. (Venir, ver)

   j) Dondequiera que _____, dudo que _____ pasándolo bien. (Estar)

5. Complete in Spanish with the correct tense of the verbs in brackets (pluperfect or past anterior):

   a) Cuando (dormir) la siesta, salieron.

   b) Apenas (llegar) la carta, la puso en el bolsillo.

   c) En el año 1491, Colón no (descubrir) todavía las Américas.

   d) Tan pronto como (comer) el desayuno, salió a la calle.

   e) Me dijo que (divertirse) mucho en Zaraúz.

6. Answer in Spanish:

   a) ¿Qué sabe Vd. de La Laguna?

   b) ¿Por qué fueron los dos amigos a casa de 'don Fulano de Tal'? ¿Quién era?

   c) ¿Cómo es la costa sur de Tenerife?

   d) Explique la diferencia entre: un camino, una calle y una autopista.

   e) ¿Qué tipo de trabajo buscaron Juan y Diego? ¿Por qué fue imposible?

   f) ¿Qué excursiones hicieron?

   g) ¿Qué es un olivar? ¿Cuáles son sus productos?

   h) ¿Qué hacen las viejas por la tarde en Tenerife?

   i) ¿Para qué sirve la madera?

   j) ¿Cómo pudo Juan hablar a su padre?

7 Translate into Spanish:

"Juan, are you coming to the swimming pool?"

"No, not this afternoon. I am sorry. I am too tired. I danced at the disco last night until two o'clock, and now I want to take a nap. You go. I shall be happy here."

"Would you like to meet me at the café on the corner at about half-past five to have tea?"

"Yes, fine. I like that café. They make very good coffee."

"And there is a very pretty girl who works there!"

"Wait, Diego, don't forget your oil, if you are going to sunbathe."

"Thanks."

Having arrived at the tourist complex, Diego went at once to swim in the artificial lake. He was lucky, and met some other young Spaniards with whom he spent a very enjoyable time.

8. Write in Spanish the entry in Juan's diary for one day during his holiday in Tenerife.

9. Oral work: Enact the conversation between Juan and Diego, the professor and his wife, about what the two students can see and how they can amuse themselves in Tenerife.
(Think carefully about the use of *tú* and *Vd.* in this situation.)

Puerto de la Cruz : la vieja capilla

143

LA POESÍA (poetry)

¡Inteligencia, dame
el nombre exacto de las cosas!
. . . Que mi palabra sea
la cosa misma,
creada por mi alma nuevamente.
Que por mí vayan todos
los que no las conocen, a las cosas,
que por mí vayan todos
los mismos que las aman, a las cosas, . . .
¡Inteligencia, dame
el nombre exacto y tuyo,
y suyo, y mío, de las cosas!

Juan Ramón Jiménez
1881–1958

Cuando sale la luna
se pierden las campanas
y aparecen las sendas
impenetrables.

Cuando sale la luna,
el mar cubre la tierra
y el corazón se siente
isla en el infinito.

Nadie come naranjas
bajo la luna llena.
Es preciso comer
fruta verde y helada.

Cuando sale la luna
de cien rostros iguales,
la moneda de plata
solloza en el bolsillo.

Federico García Lorca
1898–1936

Lesson 17

---GRAMMAR---

Verbs with Spelling Changes

(1) Verbs such as **construir** take a *y* before the ending in all cases where there would otherwise be an unaccented *i* between two other vowels. For example:

> **construyo** (**construir** (to construct))
> **huyeron** (**huir** (to flee))

(2) Similarly, **creer, leer** and **caer** take a *y* in the preterite (3rd persons singular and plural) and in the present participle (see Lesson 13). For example:

> **creyó; leyeron; cayendo**

Verbs with Changed Meanings in the Reflexive Form (see also Lesson 13)

volver	to return	**volverse**	to turn round *or* to become (cf. ponerse)
ir	to go	**irse**	to go away
dormir	to sleep	**dormirse**	to fall asleep
sentir	to regret, to feel	**sentirse**	(+ adjective) to feel, to have a feeling
sentar	to seat (someone else)	**sentarse**	to sit down
encontrar	to find	**encontrarse**	to be situated
hallar	to find	**hallarse**	to be situated
morir	to die	**morirse**	to be dying *or* to die suddenly (preterite)
hacer	to make, to do	**hacerse**	to become (followed by noun)
poner	to put	**ponerse**	to become (followed by adjective)
		ponerse	to put on (clothes)
parecer	to seem	**parecerse a**	to resemble

For example:

Siento que no puedas venir	I am sorry you can't come
Siento la paz de este lugar	I feel the peace of this place
Me siento mejor	I feel better
Se sentían avergonzados	They felt embarrassed
Se hizo dentista	He became a dentist
Se pusieron pálidos	They turned pale
Se puso el abrigo	He put on his coat
Se parece a su hermana	He looks like his sister

(*Note also*: **Lo siento (mucho)**   I am (very) sorry.)

Use of the Subjunctive as a Subordinate Verb
(continued from Lesson 16)

(4)   The subjunctive is used after **cuando** (when), **hasta que** (until), and **tan pronto como** or **luego que** (as soon as), when referring to a future time. For example:

Cuando venga, le veré	When he comes, I shall see him
Luego que hayas terminado, dímelo	As soon as you have finished, tell me

(5) The subjunctive is used after various conjunctions, including:

aunque	although*
a menos que	unless
para que	so that, in order that
sin que	without

***Aunque** is followed by the indicative where there is no element of doubt. For example:

A menos que me acompañe Vd., no iré	Unless you come with me, I shall not go
Entra silenciosamente, para que no te oigan	Come in quietly, so that they will not hear you
Espero partir sin que lo sepa ella	I hope to leave without her knowing
Aunque sea rico, no tiene coche	Although he is (may be) rich, he has no car
*Aunque es invierno, no hace frío	Although (Even though) it is winter, it is not cold

*In this example 'it is winter' is accepted fact, so indicative is used.

(6) The subjunctive is used after a relative with an indefinite or negative antecedent (i.e. referring to something which is doubtful or non-existent). For example:

¿Hay aquí alguien que quiera acompañarle?	Is there anyone here who would like to go with him?
No conozco a nadie que hable ruso	I don't know anyone who speaks Russian

147

Surnames (see the funeral announcement on p. 151 of this Lesson)

It is customary for the mother's maiden name to be retained, used after the father's surname. On her marriage, a woman drops her mother's name but retains that of her father.

Thus, **don Jaime Ruiz Guillén** is the son of **sr. Ruiz** who married **sta. Guillén**. His wife is the daughter of **sr. González** whose wife was sta. Torres. On her marriage, she became **doña Clotilde González de Ruiz**.

However, in very formal documents, or funeral announcements, the wife's full unmarried name is sometimes given, with or without her husband's surname. So she could be **doña Clotilde González Torres de Ruiz**.

In everyday life only the first surname is used; thus:

> **señor Ruiz, señora Ruiz,** *or* **don Jaime Ruiz**, etc.

When referring to someone, the definite article is used before the title: **el señor Ruiz**. But he would be addressed as **señor Ruiz** (or as **don Jaime**). Married women are often referred to as, for example, **la señora** *de* **Ruiz**.

Don and **doña** are used with the Christian name, either alone or followed by the surname, but never with the surname alone (see Lesson 6).

'Soler'

This verb means 'to be accustomed to', 'to be in the habit of'. It corresponds to the English 'used to', but can be used in the present as well as the imperfect tenses. It may translate 'usually'. For example:

Solemos celebrar el Año Nuevo en Madrid	We usually celebrate New Year in Madrid
Solían cambiar su coche cada año	They used to change their car every year

148

Position of Adjectives

Adjectives normally follow the nouns they qualify, but note the following exceptions.

(1) Ordinal numbers precede the noun; for example

> **el primer taller**   the first workshop

(see Lesson 8).

(2) An adjective may be placed before the noun when its purpose is to emphasise what is already known (poetic use); for example:

> **la blanca nieve**   the white snow

A few adjectives change their meaning according to their position:

Grande	**una gran cena bailable**	a great dinner-dance (= splendid)
	un gran hombre	a great man (= famous)
	un hombre grande	a tall man
	una peluquería grande	a large hairdresser's salon
Bueno	**un buen chico**	a good chap
	un chico bueno	a virtuous, well-behaved boy
Nuevo	**un coche nuevo**	a brand-new car
	un nuevo coche	a new car (= different)

149

LLOVER (to rain) This verb exists only in the 3rd person singular.

Present tense	**llueve**	Preterite	**llovió**
Future	**lloverá**	Perfect	**ha llovido**
Imperfect	**llovía**	Present subjunctive	**llueva**
Present participle	**lloviendo**		

CONSTRUIR (to construct)

Present	*Preterite*
construYo	**construí**
construYes	**construiste**
construYe	**construYó**
construimos	**construimos**
construís	**construisteis**
construYen	**construYeron**

Present Participle **construYendo**
Present Subjunctive **construYa**, etc.

Other tenses are regular.

Similar are: **contribuir** (to contribute), **huir** (to flee), etc.

REFRÁN

Los barberos aprenden en cabezas de huérfanos

Beggars can't be choosers (Barbers learn their trade on orphan's heads)

────────**LA PUBLICIDAD**────────

Está lloviendo. Hace mucho frío. María se queda en casa para lavarse el pelo y para ayudar a su madre con los quehaceres del apartamento, puesto que hoy, martes, no viene la asistenta. (Solía la sra. Fernández tener una criada regular, pero ahora que viven en este piso más pequeño, no es preciso tanto servicio.) Habiéndose marcado el pelo, María se lo está secando, y mientras tanto está leyendo un periódico. Mira los anuncios:

151

152

——————————EXERCISES——————————

1. (i) Translate into Spanish, using *Vd.* or *Vds.*:

   a) Construct it; do not construct it.
   b) All sit down; do not sit down.
   c) Do not write to him; do not write to me either.
   d) Read it to me; read it to them.
   e) Come in, gentlemen, please; do not stay in the street.

   (ii) Translate the above sentences into Spanish using *tú* or *vosotros*. (In sentence (e) substitute *children* for *gentlemen*.)

2. Put the bracketed verbs in the following passage into the correct forms:

   Cuando tú (visitar) a tus amigos, (decir) les que sentimos mucho que no (poder) nosotros ir a verles este año. Luego que ellos (haber) terminado sus cursos, esperamos que (venir) a vernos aquí. Es lástima que no (tener) nosotros más de dos habitaciones libres, pero creo que (caber) todos ellos. Dudo si les (molestar) el no tener mucho sitio, aunque (estar) acostumbrados a una casa grande. Pues, queremos que tú (dar) nuestra invitación a doña Mercedes para que ella se la (decir) a toda la familia. Todavía no he encontrado a nadie que (querer) cuidar de los niños, pero espero encontrar a alguien. Será mejor que no (tener) que ocuparme de ellos cuando (estar) la casa llena de visitas.

3. Answer in Spanish:

   a) ¿Por qué se queda María en casa? ¿Qué está leyendo?
   b) ¿Qué es un día laborable?
   c) ¿Cuál es la diferencia entre un barbero y un peluquero?
   d) ¿Qué es un coche de ocasión?
   e) ¿Para qué sirve una nevera? ¿Y una lavadora?
   f) ¿Suele Vd. pasar la Navidad en el extranjero? ¿Dónde la pasa Vd.?
   g) ¿Cuál es la fecha de la Noche Vieja?
   h) ¿Qué es una americana?
   i) ¿En qué tienda se compra turrón? ¿Y ropa para hombres? ¿Y libros? ¿Y perfumes? Y, ¿en qué tipo de tienda se vende de todo?
   j) ¿Qué tipo de empresa es el que se llama 'Viajes Sudasa'?

4. Translate into Spanish:

   a) He went away.
   b) You were feeling ill.
   c) She will fall asleep.
   d) Their house is situated in Miraflores Street. It is a big house.
   e) She is becoming angry because I won't put on my hat.

153

f) He became a lawyer.

g) I think he is dying.

h) She was getting better, then suddenly, she died.

i) The 'Ford' garage is near the station. It has a new telephone number.

j) We feel very happy today because we have received some good news.

5. Complete with the correct form of the verb in brackets:

   a) Cuando (salir) la madre, irá de tiendas.

   b) Luego que (llegar) el correo, leeré mis cartas.

   c) A menos que (tener) mucho dinero, no podrá alquilar el coche.

   d) Aunque (saber) Pilar muchas lenguas, no habla italiano.

   e) Aunque (ser) inteligentes, no lo parecen cuando hablan.

   f) Lo haré sin que me (ver) ellos.

   g) Escriba claramente para que yo (poder) leerlo.

   h) Quiero hallar un taller que (reparar) mi nevera.

   i) Quiero que Vds. lo (hacer) por mí.

   j) Me alegro de que Ana (querer) acompañarme.

6. Write in Spanish an account of a day spent by either a man (Pedro) or a woman (Dolores). Make use in your account of as many as possible of the advertisements in this Lesson—for example, they could visit several shops, telephone others, make some travel arrangements, go to a restaurant, consult a lawyer about renting a house, etc. Write in the *third* person, and use *past* tenses.

7. Translate into Spanish:

Madrid,
1st January 19...

Dear Carlos,

   Happy New Year! We are all sorry that you are not here with us, although no doubt you are having a good time in England. They tell me that the English celebrate Christmas more than New Year. How odd!

   We went to a marvellous dance last night, with a fantastic band. First we had dinner in that new French restaurant. I had smoked salmon, sole and an ice cream. When we had finished dinner we took a taxi to the 'luxury' hotel where the dance was. Of course, at twelve o'clock we ate our twelve grapes, and wished each other good luck, and then drank a toast to the new year—in champagne, naturally. This morning I am terribly tired, as I did not go to sleep until about four o'clock. It is a good thing that it is a holiday.

When you come back to Spain I want you to take me to the theatre to see the new play by Buero Vallejo that opened recently. I should like to know what you think of it. Telephone me in the evening, after nine o'clock, so that we can arrange it, as I am sure you will not write. I don't know anyone who has a brother who writes letters!

Tell Mum and Dad that I like my new job, although I preferred being a student. The other secretaries are very nice and I like the offices even though they may not be in the centre of the city. My flat is quite central. It is a pity the salary is so small, but we can agree on something better next year.

Give my love to Mum and Dad.

Love from

Ana

8. Oral work: Enact conversations, either 'face to face' or by telephone, between some of the various establishments and individuals whose advertisements appear in this Lesson, and clients, making enquiries or reservations, ordering goods, etc.
   Note: The *Vd.* form should be used.

──────POESÍA──────

En el estado de Nevada
los caminos de hierro tienen nombres de pájaro
son de nieve los campos
y de nieve las horas.

Las noches transparentes
abren luces soñadas
sobre las aguas o tejados puros
constelados de fiesta.

Las lágrimas sonríen
la tristeza es de alas
y las alas sabemos
dan amor inconstante.

Los árboles abrazan árboles
una canción besa otra canción
por los caminos de hierro
pasa el dolor y la alegría.

Siempre hay nieve dormida
sobre la nieve allá en Nevada.

Luis Cernuda
1904 –

155

Lesson 18

———————————GRAMMAR———————————

The Past (Imperfect) Subjunctive

The past (or imperfect) subjunctive corresponds in meaning to the preterite or imperfect indicative.

There are two sets of endings, in **–se** and in **–ra**, for all verbs; they are virtually indistinguishable in meaning.* But note that the **–ra** forms of the past subjunctive are often used instead of the conditional indicative; in particular **quisiera** (past subjunctive) is preferred to the conditional of **QUERER**. For example:

> **Quisiera tomar una copita**   I should like to have a drink

Sequence of Tenses with the Subjunctive

In constructions requiring a subjunctive for the subordinate verb:

(1)   When the *main verb* is *present* or *future* indicative, or *imperative*, the subordinate verb will be *present subjunctive*.

(2)   When the *main verb* is in a *past* tense of the indicative (preterite or imperfect) the subordinate verb will be *past sujunctive*. For example:

> (1) **Nunca toma aspirinas, aunque tenga dolor de cabeza.**
>
> **Le pediré que toque su flauta.**
>
> †**Ven luego que hayas cenado.**

> (2) **Nunca tomaba aspirinas, aunque tuviese/tuviera dolor de cabeza.**
>
> **Dijo que le pediría que tocase/tocara su flauta.**
>
> †**Me mandó venir (que viniese/viniera) luego que hubiese/hubiera cenado.**

From the examples marked † it can be seen that where the sense requires, the perfect or pluperfect subjunctive will be used. These are formed with the present or imperfect subjunctive of **HABER** and the past participle of the main verb.

San Sebastián : el puerto

Use of the Subjunctive as a Subordinate Verb

(continued from Lesson 17)

(7)   In an 'unfulfilled' conditional clause, the past subjunctive must be used after **si** (if) when the main verb is in the conditional tense. For example:

Si fuera peluquero, le lavaría a Vd. el pelo	If I were a hairdresser, I would wash your hair
Si hablaras/hablases español, me entenderías	If you spoke Spanish, you would understand me

Note: In conditional sentences where the main verb is future, the present indicative is used after **si**. (Thus, the tenses are as in English.) For example:

Si llueve, no saldremos   If it rains, we shall not go out

'Sino' and 'Pero'

The usual word for 'but' is **pero**. However, when there is an element of contradiction ('but on the other hand'), **sino** is used, unless what follows is a clause with a main verb, in which case the normal **pero** is used. (Thus, use **sino** after a *negative verb*, if no further clause follows. If the only word which follows is a verb, use **sino**.) For example:

No es francesa sino alemana	She is not French but German
No voy por coche sino por tren	I am not going by car but by train
No tengo mi permiso, pero sé conducir un coche	I haven't my licence, but I know how to drive
No comen sino beben	They aren't eating but drinking.

──────────────**VERBS**──────────────

Past (Imperfect) Subjunctive

HABLAR	COMER	VIVIR
*hab*lase/ara	*com*iese/iera	*viv*iese/iera
hablases/aras	comieses/ieras	vivieses/ieras
hablase/ara	comiese/iera	viviese/iera
hablásemos/áramos	comiésemos/iéramos	viviésemos/iéramos
hablaseis/arais	comieseis/ierais	vivieseis/ierais
hablases/aran	comiesen/ieran	viviesen/ieran

The stem of the past subjunctive is that of the 3rd person plural of the preterite, in both regular verbs (as above) and irregular ones; for example:

PODER: *pud*ieron *pud*iese/iera; **TRAER:** *traj*eron *traj*ese/era.

(*Note*: that where the stem ends with J, as in **traer**, the I is omitted from the ending in the past subjunctive as in the preterite: **trajese**, not **trajiese**.)

REFRÁN

¡Si la juventud supiera, y la vejez pudiera!	If only youth had knowledge, and age had strength!

158

Dejamos a Jenny, la joven inglesa, visitando a Salamanca, en pleno agosto. Volvamos hacia atrás para ver lo que hizo después.

Regresó a Madrid por unos cuantos días, y entonces decidió ir hacia el norte para escaparse del calor abrumador de la capital. En San Sebastián hizo conocimiento con un joven inglés y su esposa española. Jenny sufría aquel día de un dolor de cabeza, y ellos, estando por casualidad en la farmacia, acudieron para ayudarla a comprarse unas pastillas para quitarse el dolor. No encontraba una marca que conociera, y temía comprar algo con aspirina, la cual no podía tolerar. Hallarse enfermo en un país extranjero ofrece ciertas dificultades.

Las traineras

Los tres se dieron cita para tomar una copita con 'tapas' al dia siguiente. Se sentaron en la terraza de un café en la avenida principal, a la hora del paseo, fenómeno que a Peter le extrañaba todavía.

—En Inglaterra, dijo, —cuando andamos, lo hacemos para ir de una parte a otra; aquí, según parece, ¡es para no llegar a ninguna parte!

—Es verdad, contestó su esposa Isabel. —Se pasea para ver a los amigos y para ser visto. Por eso hay ciertas plazas y calles donde se pasea, y otras en las cuales no habría nadie a estas horas.

—¡Qué raro! dijo Jenny. —No es ejercicio, sino diversión, ¿verdad?

—¿Cuánto tiempo hace que está Vd. en San Sebastián? le preguntó Isabel.

—¿Sólo dos días, contestó ella.

—¡Ay! Qué lástima que no haya estado aquí para ver la regata de las traineras la semana pasada.

—¿Qué son las traineras?

—Son barcos de remos, típicos de la región vasca. Siempre hay regatas durante lo que llaman la 'Gran Semana', que es la fiesta de esta región, celebrada cada mes de agosto. A la verdad, dura más de una semana. Todavía quedan algunas de las bandas de 'chistu'; es posible que oiga una pasar por la calle . . .

—¡Son fantásticas! interrumpió Peter. El mismo hombre toca dos instrumentos a la vez: el 'chistu', que es algo como una flauta, o más bien el pífano escocés, y al mismo tiempo un pequeño tambor. También ha habido bailes tradicionales, y coros cantando canciones vascas, que son enormemente hermosas—todo un festival folklórico.

****

Música y baile vascas

—El baile en esta región no se parece en nada al baile 'flamenco'. Esto me sorprendió, observó Peter. —Tiene ciertos rasgos que se ven en los bailes escoceses, y en los de los 'Morris Dancers'.

—En el extranjero cree la gente que 'lo flamenco' es 'lo español', dijo Isabel, —pero no lo es. Cada región tiene su propio estilo de música y de baile. El flamenco verdadero se encuentra en Andalucía. Y no es de españoles, sino de gitanos.

—Cuando vuelva a Inglaterra tendré que convencer a mis alumnos de eso, dijo Jenny. No creo que sea fácil. Quisiera ver algunos bailes regionales, para poder hablar de mi propia experiencia.

—Pues, respondió Isabel con una sonrisa, —venga con nosotros esta noche al puerto de los barcos de pesca, a eso de las diez. Muchas veces hay un grupo que van a bailar en el muelle, llevando los trajes tradicionales. Además podremos cenar—los pescadores sirven sardinas frescas, asadas al aire libre, sobre fuegos de carbón, con sidra o vino corriente. Son buenísimas.

****

Aquella noche, mientras acompañaban a Jenny a su hotel, descubrieron que tenía la intención de volver a Barcelona al cabo de unos días, y después a Inglaterra.

—¿Por qué no vienes en coche con nosotros? le preguntó Peter. (Ya se tuteaban los tres.) —Tenemos que salir pasado mañana. Vamos hacia Córdoba, pasando por Burgos, Valladolid, y Madrid. Podremos pararnos allí, o mejor quizás, en Toledo. Así verás algunos lugares más, y desde Córdoba, donde viven los padres de Isabel, tú podrás seguir hasta Barcelona por ferrocarril.

Explicó Peter que era representante de una casa de comercio británico que negociaba en artículos de cuero, y que tenía que visitar varias casas que vendían al por mayor.

Jenny se lo agradeció a sus nuevos compañeros, diciendo que si tuviera su permiso internacional de conducir, les ayudaría con eso, pero como no lo había traído consigo, tendría que ser pasajera solamente.

Así, al jueves siguiente, muy temprano, se pusieron en marcha hacia Burgos, ciudad de 'el Cid'.

———————————EXERCISES———————————

1. (i) Put the following sentences into the past:

    Example:
    Quiere que lo hagamos $\left\{ \begin{array}{l} \text{Quiso} \\ \text{Quería} \end{array} \right\}$ que lo hiciésemos/hiciéramos

    a) Es lástima que no pueda venir.
    b) Queremos que lo hagas.
    c) Es importante que escriban claramente.
    d) Siento mucho que esté Vd. enfermo.
    e) Dice que cuando venga, le verá.
    f) Aunque no sea español, habla bien el español.
    g) Siempre entra sin que le oigamos.
    h) Nos alegramos de que hayan venido.
    i) Temo que Carlos no sepa bailar.
    j) Dicen que aguardarán hasta que volvamos.

    (ii) Translate your sentences into English.

2. Complete in Spanish, with the appropriate word *sino* or *pero*, the following sentences:

    a) No soy española, (but) hablo español.
    b) No son franceses, (but) italianos.
    c) En el Brasil no se habla español, (but) portugués.
    d) Eduardo no trabaja en una tienda (but) en una oficina.
    e) Mi hermana está en Chile ahora, (but) volverá en octubre.

161

3. Translate into Spanish:

   a) If they were British they would speak English.
   b) If she comes I shall speak to her.
   c) When you read the paper tomorrow, look at the advertisements.
   d) If I had met señor López, I would have been very pleased.
   e) As soon as they have finished, they will go out.
   f) When the letter arrived, she read it to me.
   g) When he knocks at the door, the maid will open it.
   h) As soon as he had bought the pills he felt better.
   i) If I had a million pesetas, would I be rich?
   j) I should like to go to Burgos, please.

4. Answer in Spanish:

   (i) a) ¿Dónde se encuentra San Sebastián? ¿Qué tipo de ciudad es?
       b) ¿Qué sabe Vd. de los vascos y de su cultura?
       c) ¿Qué pescado es típico de San Sebastián? ¿Cómo se sirve?
       d) ¿Por qué fue Jenny a la farmacia?
       e) ¿Qué sabe Vd. del baile 'flamenco'?
       f) ¿Qué tomaron los tres amigos en el café? ¿A qué hora?
       g) ¿Cómo iba a viajar Jenny hasta Barcelona?
       h) ¿Por qué no podía ella ayudar a sus compañeros?
       i) ¿Por qué había venido Peter a España?
       j) ¿Por qué quería Isabel ir a Córdoba?

   (ii) k) ¿Dónde está Córdoba? ¿Qué sabe Vd. de esa ciudad?
        l) ¿Quién era 'el Cid'?
        m) ¿A qué hora se cena en España? ¿Aquí se cena más tarde o más temprano?
        n) ¿Toca Vd. un instrumento de música? ¿Cuál?
        o) ¿Quisiera Vd. visitar Toledo? ¿Qué se puede ver allí?
        p) ¿En qué consisten las 'tapas'? ¿Cuándo se comen? ¿Qué se bebe con ellas?
        q) ¿En qué lado de la carretera se conduce en España?
        r) ¿A dónde vamos para comprar medicinas? ¿Cuándo necesitamos comprarlas?
        s) ¿De dónde obtenemos el cuero? ¿Para qué lo usamos?
        t) ¿Qué es el 'paseo'?

5. Translate into Spanish:

   In Spain, as it is generally hot in summer, and it does not rain much, most of the amusements are out of doors.

   In San Sebastián people go in the evening to watch the fishing boats return. Later, the wives of the fishermen sell sardines that have just arrived in the boats; they grill them on small fires on the quay, and one can have a supper of fish, bread, and cider. The foreign tourists like this very much, but a lot of Spaniards turn up too.

Wherever there is a festival for a saint's day or any other reason, there is music and dancing in the streets, and stalls selling sweets and toys for the children. For the greater part of the year one can sit on the terraces of cafés and bars. In the south, in summer, the people do not sit in their living-rooms, but in the courtyards, where it is cooler. People also sit on their balconies, and even on the pavement, in the evening. If they did this in England, it would seem very odd.

Everyone takes a stroll, in the towns and villages, in the evening, having finished work. Generally, girls go with their girl friends, and young men with other young men, but of course boys meet girls too. Married women do not always stroll with their husbands, but with their women friends, and the men with their men friends.

In addition, all sorts of sports are popular in Spain.

6. Write in Spanish a short composition beginning "If I could spend August in Spain . . ."

7. Oral work: Jenny and Peter discuss the aspects of Spain that they find surprising, or different from what they expected, saying what they like and what they dislike. (They are both looking at Spain from their English point of view.)

163

Córdoba.
Lejana y sola.

Jaca negra, luna grande,
y aceitunas en mi alforja.
Aunque sepa los caminos
yo nunca llegaré a Córdoba.

Por el llano, por el viento,
jaca negra, luna roja,
La muerte me está mirando
desde las torres de Córdoba.

¡Ay qué camino tan largo!
¡Ay mi jaca valerosa!
¡Ay que la muerte me espera,
antes de llegar a Córdoba!

Córdoba.
Lejana y sola.

Federico García Lorca
1898–1936

La mezquita de Córdoba

Era apacible el día
y templado el ambiente,
y llovía, llovía,
callada y mansamente;
y mientras silenciosa
lloraba yo y gemía,
mi niño, tierna rosa,
durmiendo se moría.
Al huir de este mundo, ¡qué sosiego en su frente!
Al verle yo alejarse, ¡qué borrasca en la mía!

Rosalía de Castro
1837–85

164

Lesson 19

Verbs Requiring Prepositions

(1) When governing following infinitives. Certain verbs, some of which have occurred in the text of earlier Lessons, require a preposition before a following infinitive, for example:

Acabar por (entender)	To end by (understanding)
Acabar de (venir)	To have just (come)
*Acordarse de (llamar)	To remember to (call)
*Consistir en (leer y escribir)	To consist of (reading and writing)
Deber de	
e.g. **Debe de ser médico**	He must be (probably is) a doctor
But note **deber (trabajar)**	To have to (work)
Empezar a (cantar)	To begin to (sing)
Empezar por (cantar)	To begin by (singing)
Insistir en (salir)	To insist on (going out)
Ir a (hablar)	To be going to (speak)
note also **¡Vamos a hablar!**	Let's speak!
Meterse a (explicar)	To begin to (explain)
Pensar en (volver)	To think of/about (returning)
Ponerse a (trabajar)	To begin to (work)
*Soñar con (bailar)	To dream of (dancing)
Tardar en (llegar)	To be long/take time in (arriving)
Tener que (admitir)	To have to (admit)
Terminar de (hacer)	To finish (doing)
Tratar de (correr)	To try to (run)
Volver a (jugar)	To (play) again

165

(2) When governing following nouns. Another group of verbs require a preposition before a following noun, for example:

*Acordarse de (una película)	To remember (a film)
Aprovecharse de (una oportunidad)	To take advantage of (a chance)
*Consistir en (música y baile)	To consist of (music and dance)
Constar de (música y baile)	To consist of (music and dance)
Darse cuenta de (la fecha)	To realise (the date)
Despedirse de (un amigo)	To say goodbye to (a friend)
Disfrutar de (la paz)	To enjoy (the peace)
Gozar de (las vacaciones)	To enjoy (the holidays)
Interesarse en (el teatro)	To be interested in (the theatre)
Jugar a (la pelota, al tenis)	To play (pelota, tennis)
Parecerse a (su padre)	To resemble (one's father)
*Soñar con (el oro)	To dream of (gold)
Vestirse de (lana)	To dress in (wool)

*Note that a few verbs appear in both lists.

Remember that an infinitive may have the force of a noun, for example, **cantar** (to sing, (the action of) singing). Therefore several verbs in the second group may in fact be followed by infinitives, which are serving as nouns, for example:

Gozar de *estar* **libre**   to enjoy being free

Un guardia civil

VERBS

REÍR (to laugh) often used reflexively: **Reírse de** (to laugh at)

Present	Preterite	Imperative	Present subjunctive
río	reí		ría
ríes	reíste	ríe	rías
ríe	rIo		etc.
reímos	reímos		
reís	reísteis	reíd	
rÍen	rIeron		

(Note accents.)

Present participle: **rIendo**. Other tenses are regular.

Similar is: **SONREÍR** (to smile).

REFRÁN

Ándeme yo caliente, y ríase la gente I'm all right, Jack! (So long as I go warm, the people may laugh)

FIESTAS Y COSTUMBRES II

¿Se acuerdan de que Jenny había venido a España con su amiga Pilar? Volvió por fin a Barcelona para despedirse de la familia de ella antes de regresar a Inglaterra para el nuevo trimestre. Al llegar, descubrió que el padre de Pilar, don Alberto, estaba preparando un discurso de acogida para un grupo de negociantes americanos. Le pidió a Jenny su ayuda, porque le pareció que ella podría indicarle las cosas que se destacan, desde el punto de vista de un extranjero, en la vida española.

Y he aquí unos extractos de su discurso, según el reportaje del diario.

****

CAMPAÑA PARA FOMENTAR
LA EXPORTACIÓN DE TEJIDOS

REUNIÓN EN EL HOTEL LONDRES Y BRISTOL

Ayer, a las ocho de la tarde, fueron recibidos en el hotel Londres y Bristol, los miembros de la delegación que acaba de llegar desde los Estados Unidos para visitar nuestras empresas de tejidos. Les recibió el presidente de la agrupación barcelonesa de comerciantes en lanas, el insigne don Alberto Jesús Miró Berenguer, a quien acompañaba su amable esposa, doña Amalia Hernández Morales de Miró.

Don Alberto pronunció una charla muy amena, con motivo de la viva esperanza que tenían él y sus colegas de que gozaran sus huéspedes de su visita, además de

167

aprovecharse de ella para aumentar el tráfico en los géneros textiles entre nuestros dos países. Después de darles la bienvenida, siguió así:

—Me ha parecido bien, estimados señoras y señores, prescindir de todo discurso formal para ponerles al corriente del estado de la industria en España (lo que van Vds. a descubrir perfectamente durante los días siguientes, visitando las fábricas aquí y en otros centros), y limitarme, en una ocasión tan entretenida, a echar con Vds. un vistazo sobre este país, y tratar de explicarles lo que van a encontrar en él.

—Pregunté, hace poco, a una señorita inglesa, amiga de mi hija, cuáles habían sido sus impresiones más sobresalientes de las diferencias entre la vida y el carácter españoles y los de la gente anglosajona, si me permiten la frase.

Esta muchacha tan simpática me respondió que España es un país en el cual se hallan muchos contrastes: entre lo moderno y lo viejo en la arquitectura de las ciudades; entre las ciudades o pueblos y el campo (que bien se llama 'el despoblado'); entre la severidad aparente de los guardias y su buena voluntad cuando se les pide ayuda; entre el exterior destartalado de algunos edificios y la limpieza y nitidez del interior: entre el trabajar duro y el gozar de la ociosidad: entre la alegría de alguna música para bailar, como las jotas de Aragón, y la tristeza de muchas canciones populares, sobre todo las 'flamencas'. En fin, es un país de sol y de sombra.

****

—Había notado que somos muy aficionados a charlar: y no solamente las mujeres, sino también los hombres, que tenemos la costumbre de la 'tertulia', que es una reunión regular de algunos amigos en un café para discutir la política, o la literatura quizás. Observó que comemos tarde y mucho (¿en qué otro país se vería un restaurante ofreciendo como atracción 'un *amplio* almuerzo'?). Hay que acordarse de que aquí se come a las dos y se cena a las nueve o más tarde aún. Y después de la

comida de mediodía, se cierra todo para la 'siesta'.

Observó la señorita que en una muchedumbre se ven muchos colores vivos, en las mujeres jóvenes, pero que en general nos vestimos de negro y de colores sombríos; además se ven muchos señores que llevan corbata negra como señal de luto. Una cosa típicamente española es la mantilla que llevan las mujeres 'muy correctas' cuando van a oír misa. Los sombreros se llevan poco, pero las mujeres no entran en la iglesia sin cubrirse la cabeza con una mantilla o un pañuelo, ni con los brazos desnudos. En cuanto a los niños, y sobre todo las niñas, se parecen a unas muñecas, como sus mamás les visten con ropa tan preciosa.

El señor Miró acabó por hablar de algunas de las fiestas principales durante el año, como las procesiones de Semana Santa de Sevilla y de Málaga, el San Fermín de Pamplona, y las Fallas de Valencia. —Debe de ser, dijo, —uno de los países más ricos de Europa en festivales folklóricos y religiosos. Traten Vds. de asistir a algunos, cuando tengan la oportunidad.

Por último, algunos de sus oyentes le hicieron preguntas sobre varios asuntos: del paseo, las corridas de toros, la pelota, el fútbol, y otros deportes; de las propinas, del cambio de monedas, etc., a las cuales contestó con mucha gracia, quedando al fin todos sonrientes y muy satisfechos de tan grata ocasión.

────────EXERCISES────────

1. Translate into Spanish:
   a) We shall try to speak more correctly.
   b) They do not remember their visit to Majorca.
   c) The people who live in the Canary Islands enjoy a magnificent climate.
   d) The Basque dancers dress in white and red.
   e) We can take advantage of the snow in the Pyrenees in order to ski.
   f) He said farewell to his American friends at the airport.
   g) You have to go home at seven o'clock.
   h) This newspaper has just arrived. I am going to look at it.
   i) Let's drink to the Queen's health!
   j) The work of a waiter consists of serving meals to other people.
   k) I do not see the woman who is going to make a speech. She must be in the other room.
   l) He began by reading his letters, then he went into his office and began to work.
   m) Do that again please. You ought to do it better.
   n) Don't be long in setting your hair.
   o) They play pelota in the Basque region.

169

2. Answer in Spanish:

(i) **a)** ¿Por qué volvió Jenny a Barcelona?

b) ¿A quiénes tenía don Alberto que recibir?

c) ¿Por qué habían venido ellos a España?

d) ¿Qué trató de hacer don Alberto en su discurso?

e) ¿Son muy severos los guardias en realidad, según la joven inglesa?

f) ¿De qué se habla en una tertulia de hombres? ¿Dónde tiene lugar?

g) Explique *la siesta*, y *el paseo*.

h) ¿Qué es una mantilla? ¿Cuándo se lleva?

i) ¿Cuándo se pone una corbata negra?

j) ¿A quiénes se dan propinas?

(ii) **k)** ¿Juega Vd. al golf? ¿O a otro deporte?

l) ¿Sabe Vd. el nombre de algunos deportistas famosos españoles? ¿Cuáles?

m) ¿Cómo se llama el estadio del 'Real Madrid'? ¿Dónde está?

n) ¿Sabe Vd. lo que es 'La Monumental'?

o) Explique *el despoblado*.

3. Complete the following sentences with the correct prepositions, *where necessary*:

a) Tengo _____ ir a la otra sucursal del banco; no debo _____ tardar más.

b) Acabamos _____ salir; vamos _____ dar un paseo por las calles.

c) Después de un largo discurso, acabó _____ callarse.

d) Van _____ escuchar el disco hoy; volverán _____ escucharlo mañana.

e) ¿Se acuerda Vd. _____ la película? ¡Trate _____ describirla!

f) ¿Quieres _____ bailar? ¿Prefieres jugar _____ los naipes?

g) Anoche soñé _____ un vuelo a Buenos Aires. Debe _____ ser agradable allí.

h) Don Alberto empezó _____ recibir a los miembros, que disfrutaron _____ la ocasión.

i) La comida española consiste _____ muchas cosas riquísimas. No se parece _____ la comida inglesa.

j) Voy _____ medir el suelo; quisiera aprovecharme _____ su ayuda.

4. (i) Translate into Spanish, using *tú* for 'you':

"Do all Spaniards enjoy bullfights?"

"No, of course not. Many Spanish people don't like them. But there are others who are real 'fans'. *I* never go to the bullring, but my brother does."

"I should like to see one before I leave Spain. Do you think he would take me with him one afternoon?"

"No doubt. I will ask him as soon as he comes back."

170

"I want to try to see as much as possible of what is typically Spanish: folk festivals, local customs, flamenco dancing, etc."

"Good. But you shouldn't forget that Spain is not a kind of museum of old things. The country is becoming more and more modern, quite rapidly, although it is true that it developed rather slowly in the first part of the twentieth century in comparison with the greater part of Europe."

"I realise that. I have been surprised by what I have seen in your factories and the modern architecture and the fine main roads and motorways. Anyway, I am going to take advantage of being here to enjoy all that Spain offers to the tourist, besides working for my firm."

"Well, I am sure you will enjoy yourself."

(ii) In your translation of the above passage, substitute *Vd.* for *tú*.

5. (i) Write in Spanish Jenny's answer to don Alberto when he asked her to give him her impressions of the differences between the character and the way of life of the English and the Spanish.

    (ii) Write in Spanish a short composition on:

    'Inglaterra vista por los ojos de un español'.

6. Oral work: (i) Enact one of the visiting trade delegates replying in Spanish, to don Alberto's speech of welcome.

    (ii) Enact several members of the delegation putting questions to don Alberto about Spain, including his replies to each one.

un sereno

EL POEMA SIN MÚSICA

Dondequiera que estés, sabrás
por qué digo lo que ahora digo.
Sólo tú puedes comprenderlo,
interpretarlo. Mi mensaje
es bien sencillo: la pureza,
un poco de vida, un poco
de verdad, no se olvidan nunca;
aunque la vida, la verdad
y la pureza se nos vayan
de las manos.

       Escucha. Sólo
para ti podrían decirse
estas palabras. Sólo tú
las podrás entender.

       Un día,
como éste claro de invierno
de mil novecientos cincuenta
y tres, debajo de los pinos,
leerás estos versos. Entonces
vivirán ellos para ti
el momento desvanecido.
Y estos versos habrán cumplido
su misión.

  .

  .

  .

Cuando tú mueras, el poema
habrá muerto. Cuando tú olvides,
el poema habrá muerto. Es como
una nota escrita en la agenda,
una clave que has de entender
mientras no llegue a tu regazo
la felicidad que soñé
para ti.

José Hierro
1922–

172

Lesson 20

─────────REVISION─────────

I   Revise all the verbs and vocabulary of Lessons 11 to 19.
II   In the following exercises, the sentences in Spanish may be translated into English as a further exercise.

(Lesson 11)

A   Translate into Spanish the words in brackets, to complete the sentences:

   a)   Lo he comprado (without them).
   b)   Lo ha vendido (for me).
   c)   Lo han visitado (with me).
   d)   Ha llevado el paquete (for you). (*4 ways*)
   e)   Hemos decidido ir (before him).
   f)   Lo dijo Vd. (unintentionally).
   g)   ¿Tuvo Juan que salir temprano (yesterday morning)?
   h)   Volveré a leerlo (tomorrow evening).
   i)   Luisa y María (have just gone). Volverán (the day after tomorrow).
   j)   (On hearing) las noticias, sonrió.

B   Give the Spanish equivalents of these letter openings and endings:

   a)   Dear Mary,
             Thank you for your letter.

                 .   .   .

              With love from
                 Peter

   b)   Dear Mrs. Fernández,
                 Thank you for your letter.

                 .   .   .

              Yours sincerely,
              Mary Smith

   c)   Dear Sir,
            Thank you for your letter of 7th May.

               .   .   .

            Yours faithfully,
            Peter Jenkins

C Put into the perfect tense:

Compró el pan; vendieron los sellos; salí a las tres; ¿trabajaron Vds. esta mañana? entendemos generalmente las lecciones.

Una solera

(Lesson 12)

A Translate into Spanish:

a) He is older than me, but he is less tall.

b) These pictures are beautiful, but those are more beautiful.

c) The Prado is the most famous museum in Spain.

d) My hotel is better than his.

e) Meat is as expensive as fish.

f) You have done more than ten lessons.

g) What we speak most is English. We speak Spanish too, but less well.

h) All that you have written is good, but it is not as good as Pablo's work.

i) It is the theatre that she likes, but I prefer the television; one can watch the latter at home.

j) You have seen as many films as we have.

B **a)** Complete with the correct forms of *este, ese, aquel*, etc., and translate each phrase into English:

_____ brazo; _____ boca; _____ cuerpos; _____ caras.

b) Replace by demonstrative pronouns ('this one', 'that one'):

este café; ese helado; aquel flan; estos artistas; esas manos; aquellas legumbres.

c) Translate into Spanish:

What is this? It is a portrait. I like that.

C Translate into English:

Lo bebió todo; todo lo malo; lo difícil; lo dicho; todo lo que necesito; lo que buscamos es lo español; trabajan lo menos posible; ¿es nuevo? No lo es; ¿qué hace? No lo sé; brilla el sol, lo que es bueno.

(Lesson 13)

A Complete by translating into Spanish the words in brackets:

a) El arquitecto (for whom he would work) vive en Zaragoza.
b) La oficina (in which) trabajaba (would not be) bastante grande hoy.
c) Los profesores (with whom) estudias son muy hábiles.
d) El supermercado (from which) compro el pan está en la esquina.
e) El puente romano, (the oldest monument) de Salamanca, le gustó.

B Translate into Spanish:

Mothers and daughters; they were coming and going; September or October; the more we study, the more we learn; it is hotter and hotter in July; he painted three hundred pictures, more or less; I have written it; you had said it; he would have seen it; they would have discovered it.

C Complete by translating into Spanish the words in brackets:

a) Aquí hay (fewer) mendigos (than I thought).
b) Esto es (easier than) me has dicho.
c) Escribió más obras (than) quiero estudiar ahora.
d) Eso costaría (more) dinero (than I have).
e) Han visto menos (than) esperaba.

(Lesson 14)

A Translate into Spanish, using *tú* or *vosotros*:

Come here!   Go now!   Read the letter!   Listen, both of you!
Children, eat your soup!   Buy them!   Visit us please!   Learn it
well!   Look at yourselves!   Don't speak to her!

B Translate into Spanish:

   a) The window is two metres high and one and a half metres wide.
   b) The scarf is forty-three centimetres long.
   c) How high are those mountains? Are they more than a thousand
       metres?
   d) The road is only thirty kilometres long. (Translate 'only' in 2
       ways.)
   e) I bought exactly two kilos of oranges.
   f) One must listen with care;   I must write clearly;   you ought to
       stay here;   parents must love their children;   he travels a lot—he
       must have a lot of money;   yesterday I had to buy some
       nails;   they will have to measure it.

(Lesson 15)

A Translate into Spanish, using *Vd.* or *Vds.*:

   a) Come here! Go now! Read the letter! Listen, both of
      you!   Gentlemen, please drink with me!

   b) Buy them today, madam!   Visit us!   Look at yourselves!   Learn
      it!   Don't speak to her!

B Put into the negative:

¡Dímelo!   ¡Llamad a María!   ¡Toma el tren!   ¡Salgan de aquí!
¡Cómalas!

C Translate into Spanish:

   a) Let's go to the beach. No, let's watch television. No, let's bathe!
   b) Long live the king!
   c) Any day.   Any vegetables.
   d) Wherever they may go.   Whoever she may be.   However he may
      dance.
   e) My telephone number is 18 41 92. (Write in words.)

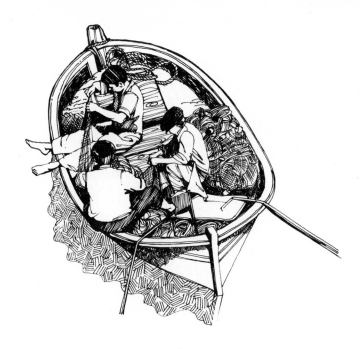

(Lesson 16)

A Complete these sentences in Spanish, translating the phrases in brackets, or giving the correct form of the verbs in capitals:

a) Tan pronto como (he had eaten) su cena, salió.

b) Cuando (I had seen) a mi amigo, fui a casa.

c) Quiere que yo (SABER) su nombre.

d) Siento que Vds. no (QUERER) venir conmigo.

e) No creo que tu padre (VENIR) mañana. Creo que (VENIR) sábado.

f) Mi casa está (three kilometres from) la tuya.

g) (Having found) un buen hotel, estuvimos contentos.

h) (Being) muy cansados, subimos a nuestras habitaciones.

i) (Once you have drunk) un buen vino, no le gusta la cerveza, me dijo.

j) Las tiendas están (ten minutes away from) la playa.

k) Pide al camarero que (TRAER) dos cafés con leche.

l) Dudo (if I have) bastante tiempo para leer este libro; dudo (if you have) bastante tiempo tampoco.

m) Niega que nosotros (PODER) hallarlo aquí.

n) Es lástima que (TENER) que ver al médico.

o) Estamos contentos de (VER) a nuestros primos.

177

(Lesson 17)

A Translate into Spanish:

a) When they come, we shall see them. Wait till they arrive, please.
b) As soon as she arrives, give her this, so that she may read it.
c) Unless we eat we shall not live. We eat in order to live.
d) He hopes you will be able to go there.
e) Although we are foreigners, we understand your problems.
f) I am sorry I cannot help you, although you may think that I can.
g) They will be glad to see you. I am glad that you are going.
h) It is necessary for you to buy a ticket.
i) He wants her to go to the theatre with him.
j) She wants to stay at home, but I doubt if she will stay.

B Translate into Spanish:

a) He went away;   he went to Madrid.
b) I do not sleep well;   I fell asleep.
c) I feel great happiness;   I feel happy;   Sorry!
d) The house is situated on a main road;   you will find it easily.
e) What does he do? He became a tailor.
f) He put the plate on the table;   he put on his tweed jacket;   he turned pale.
g) She calls the maid;   the maid is called Rosa;   my name is Pedro.
h) Are you married? I shall get married in May;   the priest will marry us.
i) They seated us in the hall;   we sat down.
j) He turned round to look at the view;   he went back home.

(Lesson 18)

A Put into the past tense:

a) Quiero que lo hagas.
b) Me dice que traiga la botella.
c) Es lástima que no lo hayan visto.
d) Aunque viva en Italia, no habla italiano.
e) Si está en la pensión, le veré.

B Complete in Spanish by translating the words in brackets:

a) Soy argentino, (but) no vivo en la Argentina.
b) No soy inglés (but) irlandés.
c) No soy española (but) hablo español.
d) Si (I have) bastante dinero, lo compraré.
e) Si (I had) bastante dinero, lo compraría.

(Lesson 19)

A Translate into English:

a) Acabamos de llegar. Pensamos en quedarnos algunos días.
b) ¡No vuelvas a hacerlo! Hay que tener cuidado.
c) Tiene que trabajar mucho. Acabará por hacerse famoso.
d) Debemos querer a los niños. Deberíamos quererles.
e) Debe de ser viejo—tiene el pelo blanco.
f) Anoche soñé con viajar a América.
g) Tardó más de dos horas en hacerlo.
h) Se parece a su abuelo.
i) Empezará por hablar a las mujeres.
j) ¿Qué piensa Vd. de los Estados Unidos?

B Translate into Spanish:

a) He is taking advantage of the good weather.
b) What are you thinking about?
c) They took leave of their friends at about seven o'clock.
d) We are going to decide where to go, tomorrow morning.
e) The old woman used to dress in black.
f) She plays tennis, but she does not play any musical instrument.
g) He was beginning to learn to swim.
h) Are you trying to study to be a hairdresser?
i) He is not interested in architecture, but in painting.
j) I remember our first journey by train. I didn't like it much.

Un guardia municipal

Table of Regular Verb Endings

INFINITIVE (Conjugation)	−AR (1st)		−ER (2nd)		−IR (3rd)	
PARTICIPLES Present Past	−ando −ado		−iendo −ido		−iendo −ido	
INDICATIVE TENSES Present	−o −as −a	−amos −áis −an	−o −es −e	−emos −éis −en	−o −es −e	−imos −ís −en
Future	−é −ás −á		−emos −éis −án		⎰ SAME	
Conditional	−ía −ías −ía		−íamos −íais −ían		⎱ STEM	
Preterite	−é −aste −ó	−amos −asteis −aron	−í −iste −ió		−imos −isteis −ieron	
		Pretérito −e −iste −o	Grave (P.G.) −imos −isteis −ieron			
Imperfect	−aba −abas −aba	−ábamos −ábais −aban	−ía −ías −ía		−íamos −íais −ían	
IMPERATIVE	2nd sing. −a 2nd pl. −ad		−e −ed		−e −id	
SUBJUNCTIVE TENSES Present	−e −es −e	−emos −éis −en	−a −as −a		−amos −áis −an	
Past (1) (Imperfect)	−ase −ases −ase	−ásemos −aseis −asen	−iese −ieses −iese		−iésemos −ieseis −iesen	
(2)	−ara −aras −ara	−áramos −arais −aran	−iera −ieras −iera		−iéramos −ierais −ieran	

180

Table of Irregular Verbs

(For verbs which (i) are 'stem-changing', or which (ii) have spelling changes in order to retain the correct sound, see (i) Lessons 6, 11, 14, (ii) Lessons 12, 13, 17.)

The verbs in the table below are regularly formed except where shown. (P.G. = Pretérito grave—(see Lesson 7.)

Infinitive	Present Indicative	Future	Preterite	Present Subjunctive	Others	
ANDAR			ANDUVE, etc. (P.G.)			
CABER	QUEPO cabes, etc.	CABRÉ etc.	CUPE, etc. (P.G.)	QUEPA, etc.		
CAER	CAIGO		3rd s. CAYÓ 3rd pl. CAYERON	CAIGA, etc.	Pres. p. Past p.	CAYENDO CAÍDO
DAR	DOY		DI DIMOS DISTE DISTEIS DIO DIERON	DÉ DEMOS DES etc. DÉ		
DECIR	DIGO dices, etc.	DIRÉ, etc.	DIJE, etc. (P.G.) DIJERON	DIGA, etc.	Imperat. Pres. p. Past p.	DI, decid DICIENDO DICHO
ESTAR	ESTOY estamos ESTÁS estáis ESTÁ ESTÁN		ESTUVE, etc.	ESTÉ, etc.		
HABER	HE HEMOS HAS habéis HA HAN	HABRÉ, etc.	HUBE, etc.	HAYA, etc.		
HACER	HAGO haces, etc.	HARÉ, etc.	HICE hiciste HIZO (P.G.) hicimos, etc.	HAGA, etc.	Imperat. Past p.	HAZ, haced HECHO
IR	VOY VAMOS VAS VAIS VA VAN		FUI FUIMOS FUISTE FUISTEIS FUE FUERON	VAYA, etc.	Imperat. Pres. p. Past p.	VE, id YENDO ido
NACER	NAZCO naces, etc.					
OIR	OIGO oímos OYES oís OYE OYEN		oí oímos oíste oísteis OYÓ OYERON	OIGA, etc.	Imperat.	OYE, oid
PODER	PUEDO puedes, etc.	PODRÉ, etc.	PUDE, etc. (P.G.)	PUEDA, etc.	Pres. p.	PUDIENDO
PONER	PONGO pones, etc.	PONDRÉ, etc.	PUSE, etc. (P.G.)	PONGA, etc.	Imperat. Past p.	PON, poned PUESTO
QUERER	QUIERO quieres, etc.	QUERRÉ, etc.	QUISE, etc. (P.G.)	QUIERA, etc.		

Infinitive	Present Indicative	Future	Preterite	Present Subjunctive	Others
REÍR	RÍO reímos RÍES reís RÍE ríen		3rd s. RIÓ 3rd pl. RIERON	RÍA, etc.	Imperat. RÍE reíd Pres. p. RIENDO
SABER	SÉ sabes. etc.	SABRÉ, etc.	SUPE, etc. (P.G.)	SEPA, etc.	
SALIR	SALGO sales, etc.	SALDRÉ, etc.		SALGA, etc.	Imperat. SAL salid
SER	SOY SOMOS ERES SOIS ES SON		FUI FUIMOS FUISTE FUISTEIS FUE FUERON	SEA, etc.	Imperat. SÉ sed
TENER	TENGO tienes, etc.	TENDRÉ, etc.	TUVE, etc. (P.G.)	TENGA, etc.	Imperat. TEN tened
TRAER	TRAIGO TRAES, etc.		TRAJE, etc. (P.G.)	TRAIGA, etc.	Pres. p. TRAYENDO Past p. TRAÍDO
VALER	VALGO vales, etc.	VALDRÉ, etc.		VALGA, etc.	
VENIR	VENGO vienes, etc.	VENDRÉ, etc.	VINE, etc. (P.G.)	VENGA, etc.	Imperat. VEN venid Pres. p. VINIENDO
VER	VEO ves, etc.			VEA, etc.	Past p. VISTO

Note: the following verbs which have *irregular past participles,* though they are otherwise regular:

ABRIR	to open	abierto
CUBRIR	to cover	cubierto
DESCRIBIR	to describe	descrito
DESCUBRIR	to discover, uncover	descubierto
ESCRIBIR	to write	escrito
MORIR	to die	muerto (stem-changing)
VOLVER	to return	vuelto (and compounds) (stem-changing)

Table of Personal Pronouns

Subject	Object		Reflexive	Prepositional (Strong)		†Possessive	
	Direct	*Indirect*					
yo	me		me	*mí		el mío	los míos
						la mía	las mías
tú	te		te	*ti		el tuyo	los tuyos
						la tuya	las tuyas
					Reflexive		
él	lo (it)	le	se	él	*sí	el suyo,	
	le (him)					etc.	
ella	la	le	se	ella	*sí		
Vd.	le, la	le	se	Vd.	*sí		
nosotros	nos		nos	nosotros		el nuestro, etc.	
nosotras	nos		nos	nosotras			
vosotros	os		os	vosotros		el vuestro, etc.	
vosotras	os		os	vosotras			
					Reflexive		
ellos	los	les	se	ellos	*sí	el suyo,	
	les					etc.	
ellas	las	les	se	ellas	*sí		
Vds.	les, las	les	se	Vds.	*sí		

Note: **conmigo, contigo, consigo**
†Agreement is with the possession not the possessor. Omit article after **SER**.

Special Word Lists

These word lists are to supplement the vocabulary used in the Lessons. They will be useful for free composition and oral exercises. (A few of the words have been used in the text of the Lessons, but are given here also for the sake of completeness.) The final list gives some Latin American expressions.

Colours — Los colores

Colours	Los colores
black	negro
blue	azul
brown	moreno
green	verde
grey	gris
orange	anaranjado
pink	rosado
purple	morado, violado
red	rojo (of wine: tinto)
white	blanco
yellow	amarillo

The body — El cuerpo

The body	El cuerpo
arm	el brazo
back	la espalda
chest, breast	el pecho
ear	la oreja
elbow	el codo
eye	el ojo
face	la cara
finger	el dedo
forehead, brow	la frente
foot	el pie
hair	el pelo
hand	la mano
head	la cabeza
knee	la rodilla
leg	la pierna
mouth	la boca
nail	la uña
neck	el cuello
nose	la nariz
skin	la piel
stomach	el estómago
toe	el dedo (del pie)
tongue	la lengua
tooth	el diente

Domestic animals — Los animales domésticos

Domestic animals	Los animales domésticos
bull	el toro
cat	el gato
cow	la vaca
dog	el perro
donkey	el burro
goat	la cabra
hen	la gallina
horse	el caballo
mule	la mula
ox	el buey
pig	el cerdo
sheep	el carnero (ewe: la oveja)

Buildings — Los edificios

Buildings	Los edificios
attic	el desván
balcony	el balcón
bathroom	el cuarto de baño
bedroom	el dormitorio, el cuarto; la habitación (in a hotel)

ceiling	el techo
courtyard	el patio
door	la puerta
floor (cf. storey)	el suelo
hall (entrance)	el vestíbulo
heating	la calefacción
kitchen	la cocina
landing	el descanso
lift	el ascensor
lounge	la sala (de estar)
staircase	la escalera
storey	el piso
study	el gabinete
toilet, lavatory	los servicios (in a café or public building) el retrete (in a house)
wall	la pared
window	la ventana
yard	el corral

Clothing / La ropa

blouse	la blusa
bra, brassiere	el sostén
coat	el abrigo
dress	el vestido
glove	el guante
handkerchief	el pañuelo
hat	el sombrero
jacket	la chaqueta
nightdress	el camisón
panties	la braga
pants	los calzoncillos
pyjamas	el pijama
raincoat	el impermeable
scarf	la bufanda, el pañuelo
shirt	la camisa
shoe	el zapato
skirt	la falda
sock	el calcetín
stocking	la media
suit	el traje
sweater	el suéter
swimsuit	el bañador
tie	la corbata
tights	las mallas
trousers	el pantalón
vest	la camiseta

Household equipment / El equipo doméstico

armchair	el sillón, la butaca
bath	el baño
bed	la cama
blanket	la manta
carpet	la alfombra
chair	la silla
cooker	la cocina
cup	la taza
cupboard	el armario
curtain	la cortina
dressing table	el tocador
electric bulb	la bombilla
electric switch	el interruptor
fork	el tenedor
glass	el vaso (tumbler); la copa, la copita
knife	el cuchillo
lamp	la lámpara
mirror	el espejo
pillow	la almohada
plate	el plato
refrigerator	la nevera
sheet	la sábana
shower	la ducha
small table	el velador
sofa	el sofá
spoon	la cuchara
table	la mesa
table napkin	la servilleta
tap	el grifo
towel	la toalla
washbasin	el lavamanos

Food and drink / La comida, las bebidas

apple	la manzana
banana	el plátano
beans (green)	las judías
beef	la carne de buey
beer	la cerveza
biscuit	la galleta
bread	el pan
bread roll	el panecillo
bun	el bollo

185

butter	la mantequilla	**Cars**	**Los**
cake	la torta, el pastel		**autómoviles**
cheese	el queso		
chicken	el pollo	battery	la batería
chocolate	el chocolate	brake	el freno
chop	la chuleta	bulb	la bombilla
coffee	el café	clutch	el embrague
crab	el cangrejo	electrical system	el sistema eléctrico
egg	el huevo	fan belt	la correa
fish	el pescado	front	de delante
fruit	la fruta	it doesn't work	no funciona
fruit juice	el zumo de fruta	light, lamp	la luz;
garlic	el ajo		el faro (headlamp)
grape	la uva	oil	el aceite
hake	la merluza	petrol	la gasolina
ham	el jamón	rear	de atrás
hors d'oeuvres	los entremeses	screenwiper	el limpiapara-
ice-cream	el helado		brisas
jam	la confitura	spark plug	la bujía
lamb	el cordero	steering	la dirección
lemonade	la limonada	suspension	la suspensión
meat	la carne	tyre	el neumático, la
milk	la leche		cubierta
nut	la nuez	wheel	la rueda
omelette	la tortilla		
onion	la cebolla	**Amusements**	**Los**
orange	la naranja		**pasatiempos**
peach	el melocotón		
pear	la pera	to bathe	bañarse
peas	los guisantes	bullfight	la corrida de toros
pork	el cerdo	bullfighter	el torero
potato	la patata	bullring	la plaza de toros
prawn	la gamba	cards	los naipes
rice	el arroz	chess	el ajedrez
salad	la ensalada	concert	el concierto
sandwich	el bocadillo	to dance	bailar
sardine	la sardina	film	la película
sausage	la salchicha, el sal-	football	el fútbol
	chichón (salami-	golf	el golf
	type)	to hunt	cazar
		to lose	perder
shellfish	los mariscos	match	el partido
soda water	la gaseosa	play	la comedia
soup	la sopa	radio	la radio
steak	el biftek, el filete	to shoot (game)	cazar (cf. to hunt)
sugar	el azúcar	spectator	el espectador
sweets	los dulces	to swim	nadar
tea	el té	team	el equipo
tunnyfish	el atún, el bonito	television	la televisión
turkey	el pavo	tennis	el tenis
veal	la ternera	to walk (go for a	dar un paseo
vegetables	las legumbres	walk)	
water	el agua (f.)	to win	ganar
wine	el vino		

186

Some Latin American Expressions, with their Castilian Equivalents

The structure and vocabulary of Spanish is the same in Latin America as in its country of origin, in all essentials. There are, however, certain expressions which vary, but not only from Spain to America. Usage in Peru, for example, may differ from that of Argentina or Mexico. A few examples of expressions in common use in at least some parts of Latin America, with their Castilian equivalents, are given here.

American	English	Castilian
adonde	where	donde
afigurarse	to imagine	figurarse
agarrar	catch, capture	coger
	grasp, seize	agarrar
el *ai*roplano	aircraft	el *ae*roplano
almorzar	to have breakfast	desayunar
	to have lunch	almorzar
la baraja	playing card	el naipe
	pack of cards	la baraja
cargar	to carry	llevar
	to load	cargar
el carro	car	el coche
	cart	el carro
el chaleco	jacket	la chaqueta
	waistcoat	el chaleco
la chompa	jumper, sweater	el soéter, el jersey
emprestar	to lend	prestar
el foco	street lamp	el farol
manejar	to drive	conducir
mero	very, real	verdadero
muy seguido	at once	en seguida
la papa	potato	la patata
el paradero	bus stop	la parada
la petaca	suitcase	la maleta
la plata	money	el dinero
	silver	la plata
la recámara	bedroom	el cuarto de dormir
el terno	suit	el traje
la tortilla	maize pancake	
	omelette	la tortilla

Note on Latin American pronunciation

Throughout Latin America, **Z**, **CE** and **CI** are pronounced as S.

In some countries, notably Argentina, Ecuador, Mexico, Uruguay, **LL** is pronounced like a softened form of G in the English word *badger*, or more exactly like the French J in *je suis*.

In parts of Mexico and Peru the letter **H** is aspirated, i.e. sounded like something between the English H and the Spanish J as in *jota*.

VOCABULARIES

Abbreviations used

adj.	adjective	pl.	plural
adv.	adverb	p.p.	past participle
dem.pron.	demonstrative pronoun	pres.p.	present participle
f.	feminine	pron.	pronoun
inf.	infinitive	rel.pron.	relative pronoun
m.	masculine	sing.	singular

The vowel-change in stem-changing verbs is indicated thus: comenzar
[ie].
Irregular verbs are denoted by an asterisk (*).

——VOCABULARIO ESPAÑOL–INGLÉS——

A

a   to, at, on, from, by
abajo, los de (m.pl.)   the
   underdogs
el **abogado**   lawyer
abrazar   to embrace
el **abrigo**   overcoat
abril (m.)   April
abrir (p.p. **abierto**)   to open
absurdo   absurd
la **abuela**   grandmother
el **abuelo**   grandfather
los **abuelos** (m.pl.)   grandparents
aburrido   bored, boring
aburrirse   to be/get bored
acabar   to finish
   acabar de + inf.   to have just +
   p.p.

la **academia**   academy
acaso   perhaps
   por si acaso   just in case
el **aceite de oliva**   olive oil
la **aceituna**   olive
acelerarse   to accelerate, speed up
aceptar   to accept
la **acera**   pavement
acercarse a   to approach
el **acero**   steel
la **acogida**   welcome
acompañar   to accompany
el **acontecimiento**   event
acordarse [ue] de   to remember
actual   present, present-day
acudir   to come, come along, turn
   up
el **acueducto**   aqueduct
acuerdo, de   agreed
adecuado   adequate

188

adelante   onwards
  en adelante   in future, from
    now on
además   besides
adiós   goodbye
admirar   to admire
admitir   to admit
el **aeropuerto**   airport
afectuosamente   affectionately
afeitarse   to shave
aficionado (a)   keen, enthusiastic
afortunadamente   fortunately
las **afueras** (f. pl.)   outskirts, suburbs
la **agencia de viajes**   travel agency
la **agenda**   agenda
agosto (m.)   August
agradable   agreeable
agradecer   to thank
agradecido (a alguien)   grateful
  (to someone)
el **agradecimiento**   thanks
agrícola   agricultural
la **agricultura**   agriculture
la **agrupación**   association
el **agua** (f.)   water
aguardar   to wait (for)
ahora   now
ahorrar   to save
ahumado   smoked
el **aire**   air
  al aire libre   in the open, in the
    fresh air
  al + inf.   on + pres. p.
el **ala** (f.)   wing
alargado   elongated
el **alcalde**   mayor
alegrarse   to be glad
la **alegría**   joy
alejarse   to go away
alemán/ana (n. and
  adj.)   German
la **alfombra**   carpet
la **alforja**   saddlebag
algo (pron.)   something,
  anything
  algo más (adv.)   somewhat
    more
el **algodón**   cotton
alguno/a (adj. and pron.)   some,
  any, someone
algunos/as (adj. and pron.)
  some, a few
el **alma**   soul, spirit

el **almacén**   store
almorzar [ue]   to have lunch
el **almuerzo**   lunch
el **alquiler**   act of hiring
  de alquiler   for hire
los **alrededores**
  (m.pl.)   surroundings
alto   high
la **altura**   height
alumno/a (m./f.)   pupil
allá   over there
allí   there
amable   kind, "worthy"
amablemente   kindly
amar   to love
amarillo   yellow
ameno   pleasant, agreeable,
  elegant
la **americana**   coat, jacket (man's)
americano/a (n. and adj.)
  American
amigo/a (m./f.)   friend
las **amistades** (f. pl.)   friends,
  acquaintances
el **amo**   master
el **amor**   love
amplio   substantial
amueblado   furnished
ancho   wide
***andar**   to walk
el **andén**   platform
anglosajón/ona (n. and adj.)
  Anglo Saxon
el **animal**   animal
anoche   last night
anteayer   the day before
  yesterday
antes de   before
antiguo   old, former
el **anuncio**   advertisement
el **año**   year
  Año Nuevo   New Year
apacible   mild
el **aparato**   telephone receiver
aparente   apparent
el **apartamento**   flat
el **apellido**   surname
apenas   scarcely
apreciado   appreciated (and used
  in letter openings)
apreciar   to appreciate
aprender   to learn
apresurarse (a)   to hasten

aprovecharse (de)   to take
    advantage of
aquel (adj.)   that (over there)
    aquél (dem.pron.)   that one,
    the former
aquí   here
el árbol   tree
la arena   sand
el argumento   argument
    árido   arid
    armonioso   harmonious
el arquitecto   architect
la arquitectura   architecture
    arrastrar   to pull
    arreglar   to arrange
el artefacto   artefact
la artesanía   craft
el artículo   article
    artificial   artificial
el artista   artist
    asado   roasted
    asegurar   to assure
    así   thus
        así que   so that
la asistencia   presence, attendance
la asistenta   assistant, daily help
    asistir a   to be present at
    asociar   to associate
la aspirina   aspirin
el asunto   subject, topic
    atentamente   politely
        le saluda atentamente   yours
        faithfully
la atmósfera   atmosphere
la atracción   attraction
    atrás, hacia   backwards
    aumentar   to increase
el aumento   increase
    aun   even
    aún   still, yet
    aunque   although
el autobús   bus
el autocar   coach
la autopista   motorway
el autorretrato   self-portrait
    auxiliar   auxiliary
los Auxilios Espirituales
        (m. pl.)   Last Rites
la avena   oats
la avenida   avenue
    avergonzado   ill-at-ease
el avión (m.)   plane
        el avion de reacción   jet plane

    por avión   by air
    ayer   yesterday
la ayuda   help
    ayudar   to help
el Ayuntamiento   town hall
    azul   blue
el azulejo   tile (ornamental)

B

    bailar   to dance
    bajar   to go down, come down
    bajo   low, short; (of a voice) low,
        quiet; beneath
el piso bajo   ground floor
el balcón   balcony
el banco   bank
la banda   band
el bañador   swimsuit
    bañarse   to bathe
el bar   bar
    barato   cheap
el barbero   barber
    barcelonés   from/of Barcelona
el barco   boat
el barrio   district, quarter
    basta   that's enough
    bastante   quite, enough
el bebé   baby
    beber   to drink
la bebida   drink
    besar   to kiss
el beso   kiss
la biblioteca   library
    bien (adv.)   fine, well
        ¡Qué bien!   How lovely!
    bienvenido   welcome
        dar la bienvenida a   to
        welcome
el billete   ticket, banknote
la boca   mouth
        boca de Metro   Metro entrance
el bocadillo   large sandwich
la boda   wedding
el bollo   bun
el bolsillo   pocket
el bolso   handbag
la bondad   kindness, goodness
        tenga la bondad de   be good
        enough to
la borrasca   storm

la **botella** bottle
el **brazo** arm
  brindar por (or **a**) to drink to, to toast
  británico (n. and adj.) British
  broncearse to get a sun tan
  bueno good, "fine"
la **bufanda** long scarf
la **bullicio** bustle
  buscar to look *for*
el **buzón** letter box

C

el **caballero** gentleman
* **caber** to fit
  no cabe duda there is no doubt
la **cabeza** head
el **cabo** end
  al cabo de at the end of
el **cachemir** cashmere
  cada each, every
  caducado expired
* **caer** to fall
el **café** café, coffee
la **cafetería** café
la **caída** fall
el **calcetín** sock
la **calefacción** heating
la **calidad** quality
  caliente warm, hot
el **calor** heat
  hace calor it is hot
  calladamente silently
la **calle** street
la **callejuela** side street
la **cama** bed
el **cambio** change, rate of exchange
el **camino** road
la **camisa** shirt
la **campana** bell
la **campaña** campaign
el **campo** countryside; field
el **canal** canal
la **canción** song
  cansado tired
  cantar to sing
la **cantidad** quantity
la **capital** capital
la **cara** face

el **carácter** character
el **carbón** coal
  cargado de loaded with
el **cariño** affection, love
la **carne** meat
  caro expensive
la **carretera** main road
el **carro** cart
la **carta** letter
el **cartero** postman
la **casa** house, home
  la casa de campo country cottage
  la casa de comercio firm, company
  la casa de Correos post office
  la casa editorial publishing firm
  en casa at home
  ir/volver a casa to go home
el **casamiento** marriage
  casarse to get married
  estar casado to be married
  casi almost
el **caso** case
  en todo caso anyway, in any case
la **casualidad** chance
  por casualidad by chance
la **catedral** cathedral
el **catedrático** professor
  católico Catholic
  catorce fourteen
  celebrar to celebrate
la **cena** dinner, evening meal, supper
  cenar to dine, have supper
un **centenar de** a round 100
el **centeno** rye
el **centímetro** centimetre
  central central
  céntrico central
el **centro** centre
el **cepillo** brush
la **cerámica** ceramics, pottery
  cerca de near
  cercano (adj.) nearby
el **cereal** cereal
el **cero** zero
el **certificado** registered letter
la **cerveza** beer
el **ciego** blind man
  ciego (adj.) blind

191

ciento (cien)   one hundred
   cientos de   hundreds of
cierto   certain
cinco   five
cincuenta   fifty
el cine   cinema
la cinta   ribbon
   la cinta métrica   tape measure
la circulación   traffic
la ciruela   plum
la cita   appointment
   darse cita para las ocho   to
     agree to meet (at 8 o'clock)
la ciudad   town, city
   claramente   clearly
   claro   clear
   ¡claro!   of course!
la clase   class, type
la clave   key (to code or
   classification)
el clavel   carnation
el clavo   nail
el clima   climate
el cobre   copper
el coche   car
la cocina   kitchen; cooker
   cocinar   to cook
   coger   to catch; to pick up
   colega (m./f.)   colleague
el colegio   secondary school
   colgar [ue]   to hang up
   colgar el aparato   to replace the
     telephone receiver
el color   colour
la comedia   play
el comedor   dining room
el comentario   commentary
   comenzar [ie]   to begin
   comer   to eat; to have lunch
   comercial   commercial
el comerciante   trader, business
   man
el comercio   commerce, trade,
   business
la comida   meal, midday meal
   como   as, since
   ¿cómo?   how?
   ¡Cómo!   What!
la comodidad   comfort
   comoquiera   however
   compañero/a (m./f.)   companion
   comparación con, en   in
     comparison with

   comparar   to compare
el complejo   complex
   completo   complete
   comprar   to buy
   compras, ir de   to go shopping
   comprender   to understand
   común   usual
   poco común   unusual
   con   with
la concha   shell
*conducir   to drive, lead
el conductor   driver
la conferencia   lecture
   poner una conferencia   to
     make a long-distance call
la confianza   confidence, trust
   conmigo (pron.)   with me, with
     myself
   conocer   to know, be acquainted
     with, get to know
   conocimiento de, hacer el   to
     make the acquaintance of
   conseguir [i–i]   to get, obtain; to
     manage to, to succeed in
el consejo   advice
   consentir [ie–i]   to consent,
     approve
la conserjería   reception desk,
     porter's office
la conservación   conservation
   consigo   with him, himself,
     yourself
   consistir (en)   to consist (of)
el consomé   consommé
   constelado   starry
*construir   to construct
   contar [ue]   to tell, relate
   contento   pleased, content
   contestar   to reply
   contigo   with you, yourself
     (fem.sing.)
   continuar   to continue
el contraste   contrast
la contraventana   shutter
*contribuir   to contribute
   convencer   to convince
   conveniente   suitable
*convenir   to agree
   'sueldo a convenir'   'salary to
     be agreed'
la conversación   conversation
el convidado   guest
el coñac   brandy

la **copita** small glass
el **corazón** heart
la **corbata** tie
cordial cordial
el **coro** choir
correcto correct
correr to run
correspondiente a
    corresponding to
la **corrida de toros** bull-fight
la **cortina** curtain
corto short
la **cosa** thing
la **cosecha** harvest
la **costa** coast
costanero coastal
costar [ue] to cost
la **costumbre** custom
el **cráter** crater
creado created
crecer to grow
creer to believe
la **criada** maid
cruzar to cross
el **cuadernito** little note book
cuadrado square
el **cuadro** picture
el **cual** (rel.pron.) who, which
¿cuál? which?
cualquier/a any, whatever,
    whichever
cualesquiera (pl.
    adj./pron.) anybody,
    whoever, whichever
cuando when
¿cuándo? when?
cuandoquiera whenever
cuanto/os/a/as all that, as much
    as, whatever
    en cuanto a as for, concerning
    unos cuantos días a few days
    cuanto más . . . tanto más the
        more . . . the more
cuarenta forty
el **cuarto** room, a quarter
    el cuarto de baño bathroom
    el cuarto de dormir bedroom
cuarto (adj.) fourth
cuatro four
el **cubo** bucket
cubrir (de) (p.p. **cubierto**) to
    cover (with)
el **cuero** leather

el **cuerpo** body
el **cuidado** care
    tener cuidado to take care
    cuidar de to take care of
    cultivar to cultivate
la **cumbre** summit
el **cumpleaños** birthday
curiosamente curiously
cursar to follow a study course
el **curso** course
cuyo whose

CH

el **champán** champagne
la **charla** informal talk, chat
charlar to chat
el **cheque de viajero** traveller's
    cheque
el **chico** boy
el **chistu** Basque flute
el **chófer** driver
la **chuleta** chop

D

*****dar** to give
    dar la bienvenida to welcome
    dar las gracias to thank
    darse cuenta de to realise
datar to date
de of, from, in, as, by
debajo (de) underneath
deber to owe; to have to
    debe de ser it must be
decidir to decide
decidirse a to make up one's
    mind to
décimo tenth
*****decir** to say, tell
    es decir that is to say
    decir las noticias to tell the
        news
el **decorado** decor, decoration
decorativo decorative
dejar to leave, allow, let
delante (de) in front (of)

193

la **delegación** delegation
demás, lo the rest
demasiado (adj.) too much,
many
demasiado (adv.) too
dentro (de) inside, within
el **departamento** compartment,
carriage, department
el **deporte** sport
el deporte de nieves winter
sport
el **derecho** law
derecho (adj.) right
a la derecha on the right
(hand)
derivar to derive
desarrollarse to develop
desayunar to have breakfast
el **desayuno** breakfast
descansar (se) to rest
describir (p.p. **descrito**) to
describe
descubrir (p.p. **descubierto**) to
discover, uncover
desde from, since
desear to wish
desnudo naked, bare
despedirse [i–i] de to say
goodbye to, take leave of
despeinado dishevelled
despertarse [ie] to wake up
el **despoblado** depopulated,
barren land
después (de) afterwards, after
destacarse to stand out
destartalado dilapidated,
tumbledown
el **desván** attic
desvanecido vanished
el **detalle** detail
el **detergente** detergent
detrás (de) behind
el **día** day
el **diario** daily paper; diary
el **dibujo** drawing
el **diccionario** dictionary
diciembre (m.) December
el **diente** tooth
diez ten
dieciséis sixteen
diecisiete seventeen
dieciocho eighteen
diecinueve nineteen

la **diferencia** difference
difícil difficult
"diga" "hello" (over telephone)
el **dineral** a small fortune, mint of
money
el **dinero** money
la **dirección** direction
directo straight
dirigir to direct
el **disco** record
la **discoteca** discotheque
el **discurso** talk, lecture
discutir to discuss
disponer de to have at one's
disposal, make available
la **distancia** distance
distinguir to distinguish
distinto different
la **diversión** amusement
divertirse [ie–i] to amuse, enjoy
oneself
doce twelve
la **docena** dozen
el **dolor** grief, sorrow, pain
el dolor de cabeza headache
dominar to dominate
don/doña courtesy title used
before Christian names—not
translated
dorado golden
dormir [ue–u] to sleep
dormir la siesta to have a nap
dos two
la **duda** doubt
no cabe duda there is no
doubt
sin duda doubtless
dudar to doubt
la **dulcería** confectioner's,
sweetshop
durante during
durar to last (of time)

E

e and
económico economic
echar to throw
echar un vistazo to glance

la **edad** age
la **edición** edition
el **edificio** building
    editorial editorial
    la casa editorial publishing
     firm
    E.G.B. exam. similar to G.C.E.
el **ejemplo** example
    por ejemplo for example
el **ejercicio** exercise
la **electricidad** electricity
la **elegancia** elegance
    elegante elegant
    elevado raised, high, elevated
el **embalse** dam
    embargo, sin nevertheless
    emocionante exciting
    empapelado papered
    empezar [ie] to begin
    emplear to use
el **empleo** job
la **empresa** firm, company
    la empresa de conservación
     firm undertaking
     conservation work
    en in, on
    encantado delighted, pleased
     encantado de conocerte pleased
     to meet you, how do you do?
    encontrar [ue] to find, to meet
    encontrarse to meet, to be found
la **encrucijada** crossroads
la **energía** energy
    enero (m.) January
    enfermo ill, sick
    enorme enormous
    enormemente enormously
la **ensalada** salad
el **ensayo** essay
    enseñar to teach
    entender [ie] to understand
    entonces then
    entrar (en) to enter, go into
    entre between
los **entremeses** (m.pl.) hors
     d'oeuvre
    *entretener(se) to amuse
     (oneself)
    entretenido amusing
    enviar to send
    envolver [ue] to wrap up
el **equipaje** luggage
la **escalera** stairs

el **escaparate** shop window
    escaparse (a)/(de) to escape (from)
    escocés/esa (n. and adj.) Scottish
    escoger to choose
    escribir (p.p. **escrito**) to write
    escuchar to listen *to*
la **escuela** primary school
    ese (adj.) that
    ése (dem. pron.) that one
    eso that
    a eso de about, approximately
     (of time)
la **espada** sword
    español/a (n. and adj.) Spanish
la **esperanza** hope
    esperar to wait for, expect, hope
la **esposa** wife
el **esposo** husband
    esquiar to ski
la **esquina** corner (of a street)
la **estación** station
el **estado** state
el **estanco** kiosk, tobacconist's
     shop
    *estar to be; to be at home
    estar a punto de to be on the
     point of
la **estatua** statue
    este (adj.) this
    éste (dem. pron.) this one, the
     latter
el **estilo** style
    estimado dear . . . (letter
     introduction), esteemed
    esto this
    estrenar to put on (a play)
el **estreno** premiere, first
     performance
el **estudiante** student
    estudiantil student
    estudiar to study
el **estudio** study
    estupendo splendid
    exacto exact
    excelente excellent
la **excepción** exception
la **excursión** excursion, trip
    hacer la excursión to take a
     trip
la **existencia** existence
    exótico exotic
la **experiencia** experience
    explicar to explain

195

la **exportación**   export
exportar   to export
la **exposición**   exhibition
expresivo   expressive
el **exterior**   exterior
el **extracto**   extract
el **extranjero**   foreigner; foreign
   land
   ir al extranjero   to go abroad
extrañar   to surprise
extrañarse   to wonder
extraordinario   extraordinary

F

la **fábrica**   factory
fácil   easy
fácilmente   easily
el **faisán**   pheasant
la **falda**   skirt
fallecer   to pass away, die
la **familia**   family
familiar (m./f.)   relative
famoso   famous
fantástico   fantastic
la **farmacia**   chemist's shop
fascinado   fascinated
fascinador   fascinating
fascinar   to fascinate
el **favor**   favour
   por favor   please
favorable   favourable
favorito   favourite
febrero (m.)   February
la **fecha**   date
la **felicidad**   happiness
feliz   happy
el **fenómeno**   phenomenon
feo   ugly
el **ferrocarril**   railway
fértil   fertile
el **festival**   festival
la **fiesta**   party, feast day
   hoy es fiesta   today is a holiday
la **figura**   figure
fijar   to fix
fijo   fixed
el **fin**   end

fin de semana   weekend
en fin   in short
por fin   finally
finalmente   finally
firme   firm
flamenco (n. and adj.)   flamenco
el **flan**   caramel custard
la **flauta**   flute
la **flor**   flower
folklórico   folkloric, folk
el **folleto**   leaflet, brochure
fomentar   to promote
forjar   to forge (metal)
formado   formed
formal   formal, proper
la **fortuna**   fortune
el **fósforo**   match
la **foto**   photo
francés/esa (n. and adj.)   French
la **frase**   phrase, expression
la **frente**   forehead, brow
fresco   fresh, cool
   tomar el fresco   to get some
   fresh air
frío   cold
   hace frío   it is cold
frito   fried
la **fruta**   fruit
el **fuego**   fire
fuerte   strong
fuertemente   strongly
'no fumadores'   non-smoker
funcionar   to function
fundado   founded
el **fútbol**   football (game)

G

el **gabinete**   study
la **galería**   gallery
el **ganado**   livestock
ganar   to earn
gastar   to spend
general, en   in general
el **género**   cloth, material; kind
   el género de punto   knitwear
la **gente**   people
la **geografía**   geography
el **geranio**   geranium

gobernar   to rule, govern
el **gobierno**   government
gótico   Gothic
gozar de   to enjoy
la **gracia**   humour, wit
gracias a   thanks to
  dar las gracias   to thank
grande   big
grato   pleasant
gritar   to shout
grotesco   grotesque
el **grupo**   group
guapo   handsome, attractive
guardar   to keep
el **guardia**   policeman
el **guardia municipal**   town (traffic)
  policeman
la **guerra**   war
el **guía**   guide
gustar   to please
el **gusto**   taste, pleasure
  de buen gusto   of (good) taste
  'mucho gusto'   pleased to meet
  you, how do you do?

H

*****haber**   to have (auxiliary used in
  forming compound tenses)
hábil   clever
la **habitación**   room
hablar   to speak
hace   ago
  hace muchos siglos   many
  centuries ago
  ¿cuánto tiempo hace?   how
  long ago?
*****hacer**   to do, make
  hace calor   it is hot
  hace frío   it is cold
  hace mucho viento   it is very
  windy
  hacer preguntas a alguien   to
  question someone
hacia   towards
hallar   to find
el **hambre** (f.)   hunger
  tener (mucha) hambre   to be
  (very) hungry

hasta   until, to, even
  hasta luego   see you later
hay   there is, there are
hay que   it is necessary to/one
  must
he aquí   here is, are
el **hecho**   fact, deed
el **helado**   ice-cream
helado   frozen
la **hermana**   sister
el **hermano**   brother
hermoso   beautiful
hidroeléctrico   hydro-electric
el **hierro**   iron
la **hija**   daughter
el **hijo**   son
la **historia**   story
histórico   historical
el **hogar**   home
¡hola!   hello!
el **hombre**   man
  **el hombre de
  negocios**   businessman
la **honra**   honour
la **hora**   hour, time
  horas laborales   working
  hours
  hora(s) punta   rush hour(s)
  media hora   half an hour
el **horror**   horror
  dar horror   to horrify
horroroso   horrible
hospedado   staying, lodging
el **hospital**   hospital
el **hotel**   hotel
hoy   today
  hoy (en) día   nowadays
el **huérfano**   orphan
*****huir**   to flee
húmedo   humid

I

la **identificación**   identification
la **iglesia**   church
igual   equal
  igual que   like, similar to
igualmente   equally

imaginar   to imagine
imitar   to imitate
impacientemente   impatiently
impenetrable   impenetrable
importante   important
imposible   impossible
la impresión   impression
impresionante   impressive
impresionar   to impress
el incidente   incident
inconstante   fickle
independientemente
   independently
indicar   to indicate, point out
la industria   industry
el infinito   infinity
inglés/esa (n. and adj.)   English
el ingrediente   ingredient
innumerable   innumerable
insigne   distinguished
la instalación   installation
instalar   to install
instalarse   to settle in, settle
   oneself
el instituto   secondary school
el instrumento   instrument
la inteligencia   intelligence,
   understanding
inteligente   intelligent
la intención   intention
intentar   to try
el interés   interest
interesante   interesting
interesar   to interest
el interior   interior
interpretar   to interpret
interrumpir   to interrupt
introducir   to bring into use,
   introduce
invadir   to invade
el invierno   winter
la invitación   invitation
invitar   to invite
*ir   to go
   ir a + inf   to be going to + inf.
   ir al extranjero   to go abroad
   ir de compras/ir de tiendas   to
   go shopping
la irregularidad   irregularity
la isla   island
italiano/a (n. and adj.)   Italian
la izquierda   left-hand side
   a·la izquierda   on the left

J

la jaca   pony, small horse
el jardín   garden
el jardinero   gardener
la jota   dance (a dance)
joven (m./f.)   young person
joven   young
la joya   jewel
la joyería   jeweller's shop
la judía   kidney bean
jueves (m.)   Thursday
el juguete   toy
julio (m.)   July
junio (m.)   June
la juventud   youth

K

el kilo   kilo, kilogramme
el kilómetro   kilometre

L

el labriego   farmworker
el lado   side
   al lado de   next to
el ladrillo   brick
   es de ladrillo   it is made of
   brick
el lago   lake
la lágrima   tear
la lámpara   lamp
la lana   wool
el lápiz   pencil
largo   long
la lástima   pity, shame
la lavadora   washing machine
lavarse   to wash oneself
   lavarse el pelo   to wash one's
   hair
la leche   milk
*leer   to read
la legumbre   vegetable
lejano   distant

lejos (de)   far (from)
la lengua   language
   las lenguas vivas   modern
      languages
el lenguado   sole (fish)
el lenguaje   language, style
   lentamente   slowly
el león   lion
las letras   Humanities
   levantar   to raise
      levantar la mesa   to clear the
         table
   levantarse   to get up
   libre   free
la librería   book shop
el librero   book seller
el libro   book
   ligero   light
la lija, papel de   sandpaper
   limitar(se)   to limit (oneself)
el limón   lemon
el limpiabotas   shoe-shine boy
   limpiar   to clean
la limpieza   cleanliness
   limpio   clean
   lindo   attractive, pretty
la línea   line
la literatura   literature
el litro   litre
   local   local
   lograr [ue]   to achieve, manage to
la lotería   lottery
   luego   then, immediately
      hasta luego   so long, see you
         later
      luego que   as soon as
el lugar   place
el lujo   luxury
   de lujo   de luxe, luxury
   lujoso   luxurious
la luna   moon
   lunes (m.)   Monday
el luto   mourning
la luz   light

LL

   llamar   to call;
      llamar a la puerta   to call;
         knock, ring at the door

   llamar atención   to attract,
      draw attention
   llamar por teléfono   to
      telephone, ring up
   llamarse   to be called
el llano   plain
   llegar   to arrive
   lleno (de)   full (of)
   llevar   to take, carry, wear
   llorar   to cry
   llover [ue]   to rain
la lluvia   rain

M

la madera   wood
la madre   mother
   magnífico   magnificent
el maíz   maize, corn
el mal   evil, wrong
la maleta   suitcase
el maletín   travelling bag, beauty
      case
   malo   bad
   Mamá (f.)   Mummy, mother
   mandar   to send; to order
la manera   way, manner, fashion
   de una manera . . .   in
      a . . .way
la mano   hand
   mansamente   gently
la mantilla   mantilla
la mañana   morning
   de la mañana   a.m.
   por la mañana   in the morning
   mañana (m.)   tomorrow
   pasado mañana   the day after
      tomorrow
el mapa   map
la máquina   machine
   mar (m./f.)   sea
      la mar de . . .   masses of . . .
   maravilla, a   wonderfully well
la marca   brand, make
   marcar el número   to dial
el marco   frame
el margen   margin

199

el **marido** husband
marrón brown
martes (m.) Tuesday
marzo (m.) March
más more
  más que/de more than
  más que nada more than anything
o más bien or rather
poco más o menos more or less
la **matrícula** registration number (of car)
mayo (m.) May
mayor bigger, older
  el/la mayor biggest, oldest
  al por mayor (m.) wholesale
la **mayoría** majority
mediano middling, medium
la **medicina** medicine
el **medio** half; means, way
  por medio de by means of
el **mediodía** midday, noon
medir [i–i] to measure
mediterráneo (m. and adj.) Mediterranean
mejor better
  el/la mejor best
  son de lo mejor they are the best
el **melocotón** peach
el **melón** melon
el **mendigo** beggar
menor smaller, younger
  el/la menor smallest, youngest
menos except, less
el **mensaje** message
el **menú** menu
menudo, a often
el **mercurio** mercury
merecer to deserve
merendar [ie] to have tea
el **mérito** merit
el **mes** month
la **mesa** table
la **meseta** plateau
la **Metro** Underground, Metro
el **metro** metre
métrico metric
el **miedo** fear
el **miembro** member
mientras while
  mientras tanto meanwhile
miércoles (m.) Wednesday

mil thousand
miles de thousands of
millar de, un about one thousand
el **mineral** mineral
el **agua** (f.) **mineral** mineral water
el **minuto** minute
mirar to look (at)
la **misa** Mass
  oír misa to go to church
la **misión** mission
mismo same
la **moda** fashion
el **modelo** model
moderno modern
el **modo** way, manner
molestar to bother
molinera, a la 'meuniere' (cookery term)
momentito (m.) just a moment
el **monasterio** monastery
la **moneda** coin
la **montaña** mountain
el **monumento** historic building, place of interest
morir(se) [ue-u] (p.p. **muerto**) to die
el **moro** Moor
mostrar [ue] to show
el **motivo** motive
  con motivo de because of, on the occasion of
el **mozo** porter
la **muchacha** girl
el **muchacho** boy
la **muchedumbre** crowd
mucho/a/os/as much, many
mudar to change
  mudar de casa to move house
el **mueble** piece of furniture
el **muelle** quay
la **muerte** death
la **mujer** woman; wife
la **multitud** multitude, crowd
mundial world-wide
el **mundo** world
  todo el mundo everyone
municipal municpal
la **muñeca** doll
la **muralla** wall (external)
el **museo** museum
la **música** music
muy very

N

*nacer   to be born
nada   nothing
  nada más   nothing more
  en nada   in no way
nadar   to swim
nadie   no one
la naranja   orange
el naranjo   orange tree
la nariz   nose
las natillas (f.pl.)   custard
natural   fresh (of fruit);
  natural
naturalmente   naturally
la Navidad   Christmas
navideño   Christmas (adj.)
necesitar   to need
negar [ie]   to deny
el negocio   business, trade
el negociante   business man,
  trader
negociar (en)   to trade, deal in
negro   black
la nevera   refrigerator
ni . . . ni   neither . . . nor
  ni uno ni otro   neither one
el nieto   grandson
la nieve   snow
el nilón   nylon
ninguno   no, not one (adj.)
el niño   child
la nitidez   tidiness
no   no, not
la noche   night
  Noche Vieja   New Year's Eve
el nombre   name
el noroeste   north-west
el norte   the North
la nota   note
notablemente   notably
notar   to note, notice
las noticias (f.pl.)   news
novecientos   nine hundred
la novedad   novelty
noveno   ninth
noventa   ninety
noviembre (m.)   November
el novio   boyfriend, fiancé
nuevamente   anew, again
nueve   nine
nuevo   new

la nuez   nut
el número   number
nunca   never

O

o   or
la obra   work (literary)
el obrero   worker, workman
observar   to observe, notice
  obstante, no   nevertheless,
  however
la ocasión   occasion, chance
  de ocasión   second-hand
occidental   western
ochenta   eighty
ocho   eight
la ociosidad   idleness
ocioso   idle
octavo   eighth
octubre (m.)   October
ocupado   busy
el oeste   the West
la oficina   office
ofrecer(se)   to offer (oneself)
*oír   to hear
  oír misa   to go to church
  'oiga'   'hello' (on the
  telephone)
el olivo   olive tree
olvidar   to forget
once   eleven
la onda   wave
  la onda permanente   'perm'
la oportunidad   opportunity
la oración   prayer
el ordenador   computer, calculator
orillas de, a   on the banks of
ornado   decorated
el oro   gold
la orquesta   orchestra, band
el otoño   autumn
otro   other; another
  otro día   another day
  al otro día   (on) the next day
la oveja   ewe
el oyente   listener

201

P

el **padre** father
pagar to pay (for)
el **país** country
el **paisaje** countryside, scenery
el **pájaro** bird
la **palabra** word
el **pan** bread
la **panadería** bakery
el **panadero** baker
el **pantalón** trousers
  pantalones de esquiar ski
    pants
el **pañuelo** handkerchief
el **Papa** the Pope
Papá (m.) Daddy, father
el **papel** paper
el **paquete** parcel
para for
  ¿para qué? for what reason?
la **parada de autobús** bus-stop
pararse to stop
parecer to seem
parecerse a to be like
la **pared** wall (internal)
pariente (m./f.) relation
el **parque** park
la **parte** part
  "¿de parte de quién?" who is
    speaking? (telephone)
  por todas partes everywhere
particular private
partir to go away
pasado past, last
el **pasajero** passenger
pasar to spend (time)
  pasar por to go through, along
  pasarlo bien to have a good
    time
pasear(se) to stroll
el **paseo** a stroll
  dar un paseo to take a stroll
el **paso** footstep
  el paso de peatones
    pedestrian crossing
la **pastilla** pill
la **patata** potato
  patatas fritas chips
el **patio** patio, courtyard
la **paz** peace

el **peatón** pedestrian
pedir [i-i] to ask (for)
la **película** film
el **pelo** hair
  lavarse el pelo to wash one's
    hair
  marcar(se) el pelo to set
    (one's) hair
la **pelota** Basque ball game
la **peluquería** hairdresser's
el **peluquero** hairdresser
la **pena** worry, trouble
  vale la pena + inf. it is worth
    while to
penetrar en to go into
peninsular peninsular
la **España peninsular** mainland
    Spain
pensar [ie] to think
la **pensión** boarding house
  pensión completa full board
peor worse
el **pepino** cucumber
pequeño small
perder [ie] to lose
'perdón' I beg your pardon,
    excuse me
perfectamente perfectly
perfumado perfumed
la **perfumería** perfumery
el **periódico** newspaper
la **perla** pearl
permanente permanent
el **permiso** permit
  **el permiso (international) de
    conducir** (international)
    driving licence
permitir to permit, allow
pero but
la **persona** person
pesado heavy
pesar de, a in spite of
el **pescado** fish
el **pescador** fisherman
la **peseta** peseta
el **petróleo** oil, paraffin
el **pez** fish (alive)
piadoso pious
el **pianista** pianist
el **pie** foot
  ir a pie to walk, go on foot
la **piedra** stone
la **pierna** leg

el **pífano** fife
el **pijama** pair of pyjamas
el **pino** pine tree
pintado painted
la **pintura** painting
la **piscina** swimming pool
el **piso** floor or flat
   el **piso bajo** ground floor
el **pito** blast on a whistle
el **plan** plan
planear to plan
el **plástico** plastic
la **plata** silver
el **platanar** banana plantation
el **plátano** banana
el **plato** dish, plate
la **playa** beach
la **plaza** square
pleno full
   'en pleno agosto' in
    mid-August
la **pluma** pen
la **población** township
pobre poor
pocos/as (adj.) few
poco (adv.) little, not much
   poco común not very common
*poder to be able
el **poema** poem
la **poesía** poetry
la **policía** the Police
la **política** politics
político political; of family
   relationship—in-law
   hijo político son-in-law
*poner to put
   poner al corriente to inform
   poner la mesa to lay the table
   ponerse en marcha to set off
por by, for, etc. (see Lesson 5)
   por aquí through here, this
    way
   por la mañana in the morning
   por favor please
   por fin finally
   por ser . . . because of, on
    account of its being . . .
¿**por qué?** why?
porque because
el **portal** doorway
portugués/esa (n. and adj.)
   Portuguese
posible possible

la **postal** postcard
el **postre** dessert, sweet
el **precio** price
precioso pretty; precious
preciso necessary; precise
preferir [ie–i] to prefer
preguntar to ask (a question)
preguntarse to wonder
preocupado worried
preocuparse (de) to worry; to
   concern oneself about
los **preparativos** preparations
preparar to prepare
prescindir de to do or go
   without, dispense with
presentar to introduce (a person)
el **presidente** president
la **primavera** spring
primero first
primo/a (m./f.) cousin
principal main
probar [ue] to try
el **problema** problem
la **procesión** procession
la **producción** production
producir to produce
el **producto** product
el **profesor** teacher
profundamente deeply
profundo deep
el **programa** programme
pronto soon
   tan pronto como as soon as
pronunciar to pronounce
la **propina** tip
propio own
la **proporción** proportion
el **provecho** advantage
la **provincia** province
próximo next
   al próximo día the next day
el **proyecto** plan
la **publicidad** publicity
el **pueblo** village
el **puente** bridge
la **puerta** door
pues well then
el **puesto** stall
   puesto que since
el **pulmón** lung
el **punto de vista** point of view
la **pureza** purity
puro pure

203

Q

que who, whom, what, which, that
¿qué? which? what?
¡Que no! Certainly not!
quedar(se) to stay, remain
el quehacer task
los quehaceres (domésticos) (household) chores
*querer to want, wish for; to love
sin querer unintentionally
querido dear
el queso cheese
quien who, whom
¿quién? who?
quienquiera, quienesquiera whoever
¿de quién? whose?
quieto still
estar quieto to keep still
químico chemical (adj.)
quince fifteen
quinientos five hundred
quitar to take away, remove
quizás perhaps

R

la radio radio
rápidamente rapidly
la rapidez rapidity
rápido rapid, fast
raro strange, odd
¡qué raro! how strange!
el rasgo characteristic, feature, trait
el rato while
al poco rato in a short while
la raya stripe
la razón reason
tener razón to be right
realista (n. and adj.) realist (m./f.); realistic
la rebaja discount, reduction
recibir to receive, welcome

reciente recent
recoger to collect
la recomendación recommendation
reconocer to recognise
recorrer to travel along, through
el recorrido tour
recto straight
recuerdos a . . . regards to . . .
regalar to give, present
el regalo present, gift
regar [ie] to water
la regata regatta
el regazo lap
la región region
regional regional
regresar to return, go back
regular regular, normal, usual
*reír(se) to laugh
el relámpago lightning
religioso religious
el remo oar
renovar to renovate
el renombre renown, fame
la reparación repair
el reportaje (del diario) (newspaper) report
el representante representative
reproducir to reproduce
reservar to reserve
responder to reply
restante remaining
el restaurante restaurant
restaurar to restore
resultar to turn out to be
el retrato portrait
el revisor ticket collector
la reunión meeting
el rey king
rico rich
el riego irrigation
el rincón corner
el río river
riquísimo very rich
robar to rob
rogar [ue] to ask
rojo red
romano/a (n. and adj.) Roman
ronco harsh
la ropa clothing
ropa de deportes sportswear
ropa interior underwear
la rosa rose
rosado pink

el **rostro** countenance, face
el **ruido** noise
rumbo, sin aimlessly

S

sábado (m.) Saturday
*****saber** to know, to know how to
sacar to take out
   sacar un billete to buy a ticket
   sacar fotos to take photos
el **sacerdote** priest
el **saco** bag, sack
sagrado holy
   la **Sagrada Familia** the Holy
   Family
la **sala** room
   la **sala de estar** living room
   la **sala de fiestas** dance hall
el **saldo** sale
la **salida** exit
*****salir (de)** to go out, to leave
el **salmón** salmon
la **salud** health
el **saludo** greeting
la **sardina** sardine
el **sastre** tailor
la **sastrería** tailor's shop
el **satélite** satellite
satírico satirical
satisfecho satisfied
secar to dry
la **secretaria** secretary
el **secretariado** secretarial work
la **sed** thirst
   tener (mucha) sed to be (very)
   thirsty
la **seda** silk
seguida, en immediately
seguir [i-i] to follow, continue
según according to
   según dicen from what they
   say
segundo second
seguro sure
seis six
el **sello** stamp
la **selva** jungle
la **semana** week
   la **semana pasada** last week
sencillo simple, plain
la **senda** path, track

sendos/as one each (adj.)
sentarse [ie] to sit down
   estar sentado to be sitting
   down
sentir [ie-i] to feel, to be sorry
la **señal** sign
el **señor** sir, gentleman; 'Mr'
la **señora** madam, lady; 'Mrs'
la **señorita** young lady; 'Miss'
el **señorito** young gentleman
séptimo seventh
*****ser** to be
seriamente seriously
serio serious
   en serio seriously
el **servicio** service
servir [i-i] to serve
   servir de act as
setecientos seven hundred
setenta seventy
setiembre (m.) September
la **severidad** severity
sexto sixth
si if
sí Yes; oneself (c f. ¡Yo sí!)
la **sidra** cider
siento, (lo) I am sorry
la **siesta** nap, snooze, siesta
   dormir la siesta to take a nap
el **siglo** century
siguiente following, next
   a la mañana siguiente (on) the
   following morning
silenciosamente silently
simpático nice
sin without
sin embargo nevertheless
sino except, but
el **sistema** system
el **sitio** place
situado situated
el **smoking** dinner jacket
sobre on
sobresaliente outstanding
el **sobrino** nephew
social social
el **sol** sun
   tomar el sol to sunbathe
solamente only
solas, a alone
solo (adj.) alone
sólo (adv.) only
sollozar to sob

205

la **sombra** shadow
el **sombrero** hat
sombrío shaded; gloomy; in the shade
sonar to ring (of a bell)
soñar [ue] (con) to dream (of)
***sonreír** to smile
sonriente smiling
la **sonrisa** smile
la **sopa** soup
el **sorbete** sorbet, water ice
sorprender to surprise
la **sorpresa** surprise
el **sosiego** calm, peacefulness
el **sótano** basement, cellar
subir to go, come up
la **sucursal** branch, branch office
el **sueldo** salary, pay
el **suelo** ground, floor
la **suerte** luck
suficiente sufficient
sufrir (de) to suffer (from)
la **superficie** surface
el **supermercado** supermarket
el **sur** the South
el **surtido** selection, stock
  gran surtido large assortment, wide range
***sustituir** to substitute

T

el **talento** talent
el **taller** workshop, garage
el **tamaño** size
también also
el **tambor** drum
tampoco neither, not either
tan so, such
tanto so much, so many
  tanto mejor so much the better
las **'tapas'** (f.pl.) savouries (served at a bar)
el **tapete** table cover
la **taquilla** ticket office
tardar (en) to take a long time (in), to be late
la **tarde** afternoon, evening
  de la tarde p.m.
tarde (adj.) late
el **taxi** taxi

la **taza** cup
el **teatro** theatre
el **techo** roof, ceiling
la **teja** tile
el **tejado** tiled roof
el **tejido** textile
la **tela** fabric
el **teleférico** cable railway
telefonear to telephone
el **teléfono** telephone
la **televisión** television
el **televisor** television set
temblar [ie] to tremble
temer to fear (to) be afraid of
templado mild, temperate
la **temporada** period, spell
temprano early
***tener** to have
  tener calor to be hot
  tener cuidado to take care
  tener frío to be cold
  tener ganas de + inf. to feel like
  tener hambre to be hungry
  tener que + **inf.** to have to
  tener razón to be right
  ¡aquí lo tiene! here it is!
tercero third
terminar to finish
la **terraza** terrace
terrible terrible
la **tertulia** social gathering, regular informal meeting
textil textile (adj.)
la **tía** aunt
el **tiempo** time, weather
  hace buen/mal tiempo the weather's good/bad
la **tienda** shop
  la tienda de modas dress shop
  la tienda de ultramarinos grocer's shop
tierno tender
la **tierra** land
el **tigre** tiger
el **timbre** timbre or quality of voice
tinto red (of wine)
el **tío** uncle
típicamente typically
típico typical
el **tipo** type
el **tocadiscos** record player
tocar to play (an instrument)

todavía still, yet
todo all, everything
  hay de todo there's everything
tolerar to tolerate
tomar to take; to have (food and drink)
el **tomate** tomato
torcido twisted
el **tornillo** screw
el **toro** bull
la **torre** tower
la **tortuga** tortoise
  consomé de tortuga turtle soup
trabajar to work
tradicional traditional
traducir to translate
***traer** to bring
el **tráfico** traffic
la **tragedia** tragedy
la **trainera** large rowing boat
el **traje** suit, dress
la **tranquilidad** tranquility, peace
transparente transparent
trasladarse to move oneself
tratar (de) to try (to)
tratarse de to be about, to concern
trazar to mark out, to trace
trece thirteen
treinta thirty
el **tren** train
tres three
el **trigo** wheat
el **trimestre** term
la **tristeza** sadness
tropical tropical
los **trópicos** (m.pl.) tropics
el **turismo** tourism
el **turista** tourist
turístico tourist (adj.)
el **turrón** a kind of nougat
tutearse to address each other informally, as 'tú'

U

u or
un/uno/una a, one
unos/unas some, a few, several

los **ultramarinos** (m.pl.) groceries
  la **tienda de ultramarinos** grocery shop
últimamente finally; recently
último latest
la **universidad** university
usar to use
útil useful
la **uva** grape

V

la **vacación** (usually plural) holiday
  estar de la vacación to be on holiday
  pasar las vacaciones to spend a holiday
***valer** to be worth
  vale la pena it is worth the effort/trouble
valeroso valiant
el **valle** valley
variado varied
varios several, some
vasco/a (n. and adj.) Basque
el **vecino** neighbour
vecino (adj.) neighbouring
veinte twenty
  veintiuno twenty-one
  veintidós twenty-two
  veintitrés twenty-three
la **vejez** old age
vencer to defeat
vencido defeated
el **vendedor** seller, salesman, vendor
vender to sell
***venir** to come
la **ventana** window
***ver** to see
  a ver let's see
veraneante (m./f.) holiday maker
veranear to spend the summer holiday
el **verano** summer
la **verdad** truth
  es verdad it is true
  ¿no es verdad? isn't it? don't you? aren't you? etc.

a la verdad   really, in truth
verdaderamente   truly, really
verdadero   true, real
verde   green
el **verso**   verse, line of verse
el **vestido**   dress
vestido (de)   dressed (in)
vestido de luto   dressed in
   mourning
vestir(se) [i–i]   to dress (oneself)
la **vez**   time, occcasion
   a la vez   at the same time
   cada vez más   increasingly,
   more and more
   por una vez   for once
   por primera vez   for the first
   time
   una vez llegado   having
   arrived . . .
   tres veces por día   3 times a
   day
viajar   to travel
el **viaje**   journey
el **viajero**   traveller
la **vida**   life
viejo/a (m./f.)   old man, old
   woman
viejo (adj.)   old
el **viento**   wind
   hace mucho viento   it is very
   windy
viernes (m.)   Friday
el **vino**   wine
   el vino corriente   ordinary wine
   el vino de mesa   table wine
   el vino tinto   red wine
la **visita**   visit; visitor
visitar   to visit

la **vista**   view
el **vistazo**   glance
   echar un vistazo a   to glance at
vivir   to live
vivo   living, alive; bright, lively
   las lenguas vivas   modern
   languages
el **volcán**   volcano
el **volumen**   volume
la **voluntad**   will
volver [ue] (p.p. **vuelto**)   to
   return
   volver a + inf.   to do again
la **voz**   voice
el **vuelo**   flight
la **vuelta**   return
la **vuelta**   change (money)

Y

y   and
ya   already
ya que   now that, since
yo   I
   ¡Yo sí!   I do! I can! etc.

Z

el **zapato**   shoe

208

—ENGLISH – SPANISH VOCABULARY—

A

a, an   un, una
able, to be   poder* [ue]; saber*
   (to know how to) (cf. to
   know)
   to be about   tratarse de
abroad, to go   ir al extranjero
absurd   absurdo
academy   la academia
to **accelerate**   acelerar(se) (cf. to
   speed up)
to **accompany**   acompañar
according to   según
**acquaintance, to make
   the—of**   hacer el
   conocimiento de
acquaintances   las amistades
to **achieve**   lograr (cf. to manage to);
   conseguir [i–i] (cf. to succeed
   in)
to **act as**   servir [i–i] de
adequate   adecuado
to **admire**   admirar
to **admit**   admitir
advantage   el provecho
   to take advantage of
   aprovecharse de
advertisement   el anuncio
advice   el consejo
aeroplane   el avión (cf. jet)
affection   el cariño
affectionately   afectuosamente
afraid, to be—of (+ pres.p.) temer
   (+ inf.) (cf. to fear)
after (+ pres. p.)   después (de +
   inf.)
afternoon   la tarde (cf. evening)
   in the afternoon   por la tarde
   p.m.   de la tarde
again   otra vez, nuevamente
   to do again   volver [ue] a + inf.
   (cf. to do)
age   la edad
agenda   la agenda
ago   hace

how long ago?   ¿hace cuánto
   tiempo?
many centuries ago   hace
   muchos siglos
agreeable   agradable
to **agree (to)**   convenir* (en)
agreed   de acuerdo
agricultural   agrícola
agriculture   la agricultura
aimlessly   sin rumbo
air   el aire
   by air   por avión
   in the fresh air   al aire libre
   to get some fresh air   tomar el
   fresco
airport   el aeropuerto
all   todo (cf. everything)
to **allow** (+ inf.)   dejar (+ inf.)
almost   casi
alone   solo; a solas
already   ya
also   también
although   aunque
American   americano/a (n. and
   adj.)
to **amuse oneself**   divertirse [ie–i]
   (cf. to enjoy oneself);
   entretenerse*
amusement   la diversión
amusing   entretenido
and   y; e
Anglo-Saxon   anglosajón/ona (n.
   and adj.)
angry   enfadado (cf. cross)
animal   el animal
anything   algo
anyway   en todo caso
apartment   el apartamento (cf.
   flat)
apparent   aparente
appointment   la cita
   **(to) make an appointment for
   8.00**   darse cita para las ocho
to **appreciate**   apreciar
to **approach**   acercarse a
approximately   a eso de (of
   time); aproximadamente

209

aqueduct el acueducto
architect el arquitecto
architecture la arquitectura
argument el argumento
arid árido
arm el brazo
to arrive llegar
artefact el artefacto
article el artículo
artificial artificial
artist el artista
as como, de
  as for en cuanto a (cf.
    concerning)
to ask preguntar
  to ask a question hacer una
    pregunta
  to ask for pedir [i–i]
aspirin la aspirina
assistant la asistenta
to associate asociar
to assure asegurar
at a, en
atmosphere la atmósfera
to attend to atender
attendance la asistencia
attention la atención
  to attract, draw attention llamar
    atención a
attic el desván
attraction la atracción
attractive guapo (cf. handsome),
  lindo (cf. pretty)
August agosto (m.)
aunt la tía
autumn el otoño
auxiliary auxiliar
avenue la avenida

B

baby el bebé
backwards hacia atrás
bad malo
bag el saco (cf. sack)
baker el panadero

bakery la panadería
balcony el balcón
ball game, Basque la pelota
banana el plátano
  banana plantation el platanar
band la banda, la orquesta
bank el banco
  banknote el billete
  on the banks of a orillas de
bar el bar
barber el barbero
Barcelona, from or
  of barcelonés/esa (n. and adj.)
basement el sótano
Basque vasco/a (n. and adj.)
to bathe bañarse
bathroom el cuarto de baño
to be ser*, estar*
beach la playa
bear el oso
beautiful hermoso
because porque
  because of por ser + inf., con
    motivo de
bedroom el cuarto de dormir, la
  habitación (cf. room)
beer la cerveza
before antes de
beggar el mendigo
to begin empezar [i.e.]; comenzar
  [i.e.]; ponerse a;
  to begin by + pres. p.
    empezar por + inf.
behind detrás (de)
to believe creer
besides además
best el mejor (adj.)
  they are the best son de lo
    mejor
better mejor (adj.)
  so much the better tanto
    mejor
between entre
big grande
bigger mayor ⎫(cf. older)
biggest el mayor⎭
bird el pájaro
birthday el cumpleaños
black negro
blind ciego
blue azul
board, full pensión completa
boarding house la pensión

boat   el barco
body   el cuerpo
book   el libro
  bookseller   el librero
  bookshop   la librería
bored   aburrido
  to be, get bored   aburrirse
boring   aburrido
born, to be   nacer*
to bother   molestar
bottle   la botella
boy   el chico, el muchacho, el
  niño (child)
  boyfriend   el novio (cf.
  fiancé)
branch office   la sucursal
brand   la marca
brandy   el coñac
bread   el pan
breakfast   el desayuno
  to have breakfast   desayunar
brick   el ladrillo
  made of brick   de ladrillo
bridge   el puente
to bring   traer
British   británico
brochure   el folleto (cf. leaflet)
brother   el hermano
brown   marrón
brush   el cepillo
bucket   el cubo
building   el edificio
  historic building   el
  monumento
bulb, light   la bombilla
bull   el toro
  bullfight   la corrida
  bullring   la plaza de toros
bun   el bollo
bus   el autobús
  bus stop   la parada
business   el negocio
  businessman   el negociante, el
  hombre de negocio(s)
  to do business   negociar
bustle   el bullicio
busy   ocupado
but   pero, sino (cf. except)
to buy   comprar, sacar (of an
  entrance ticket)
  (cf. ticket)
by   de, por

C

to call   llamar
called, to be   llamarse
calm   el sosiego
  (cf. peacefulness)
calm (adj.)   sosegado
canal   el canal
car   el coche
caramel custard   el flan
care   el cuidado
  to take care   tener cuidado
  to take care of   cuidar de
carnation   el clavel
carpet   la alfombra
to carry   llevar (cf. to take, to wear)
cart   el carro
case   el caso
  in any case   en todo caso
  (cf. anyway)
  just in case   por si acaso
castle   el castillo
to catch   coger
cathedral   la catedral
Catholic   católico
ceiling   el techo (cf. roof)
to celebrate   celebrar
centimetre   el centímetro
central   central, céntrico
centre   el centro
century   el siglo
ceramics   la cerámica (cf. pottery)
cereal   el cereal
certain   cierto
certainly not   ¡Que no!
champagne   el champán
chance, by   por casualidad
to change   cambiar
change (money)   la vuelta, el
  cambio
character   el carácter
characteristic   el rasgo
  (cf. feature, trait)
chat   la charla
to chat   charlar
cheap   barato
cheese   el queso
chemical (adj.)   químico
chemist's shop   la farmacia
cheque, traveller's   el cheque de
  viajero

chips   las patatas fritas
choir   el coro
to choose   escoger
chop   la chuleta
chores, household   los quehaceres domésticos
Christmas   la Navidad
church   la iglesia
   to go to church   oír* misa
cider   la sidra
cinema   el cine
city   la ciudad
class   la clase (cf. type)
   classroom   la sala de clase
clean   limpio
   to clean   limpiar
cleanliness   la limpieza
clear   claro
clearly   claramente
clever   hábil
climate   el clima
cloth   la tela, el género (cf. fabric
   and material)
clothing   la ropa
coach   el autocar
coal   el carbón
coast   la costa
coastal   costanero
coat   la americana (cf. jacket); el
   abrigo (cf. overcoat)
coin   la moneda
cold   el frío
   it is cold   hace frío
   to be cold   tener frío
colleague   colega (m./f.)
to collect   recoger
colour   el color
to come   venir*
   to come along   acudir (cf. to
      turn up)
   to come down   bajar (cf. to go
      down)
comfort   la comodidad
commentary   el comentario
commerce   el comercio (cf. trade)
commercial   comercial
companion   compañero/a (m./f.)
company, commercial   la casa de
   comercio (cf. firm); la
   empresa (cf. undertaking)
to compare   comparar
comparison, in—with   en
   comparación con

compartment (railway
   carriage)   el departamento
complete   completo
complex   complejo
computer   el ordenador
concerning   en cuanto a (cf. as for)
confidence   la confianza
   (cf. trust)
to consent   consentir [i–i]
conservation work   la empresa
   de conservación
to consist of   consistir en
consommé   el consomé
to construct   construir*
to consult   consultar
to continue   continuar
   + pres.p.   seguir + pres.p.
contrast   el contraste
to contribute   contribuir*
conversation   la conversación
to convince   convencer
to cook   cocinar
cooker   la cocina (cf. kitchen)
cool   fresco (cf. fresh)
copper   el cobre
cordial   cordial
corner   la esquina (of a street); el
   rincón (interior)
correct   correcto
corresponding
   to   correspondiente a
to cost   costar [ue]
cottage   la casita
cotton   el algodón
countenance   el rostro
country   el país
countryside   el paisaje, el campo,
   (cf. field)
course   el curso
   of course!   ¡Claro!
courtyard   el patio
cousin   el primo, la prima
to cover (with)   cubrir (de)
   (p.p. cubierto)
cow   la vaca
craft   la artesanía
crater   el cráter
created   creado
cross   enfadado (cf. angry)
to cross   cruzar
crossroads   la encrucijada
crowd   la muchedumbre
to cry   llorar

212

cucumber   el pepino
to cultivate   cultivar
cup   la taza
curiously   curiosamente
curtain   la cortina
custard   las natillas
custom   la costumbre

D

Daddy   Papá
daily paper   el diario (cf. diary
      and newspaper)
dam   el embalse
to dance   bailar
dance hall   la sala de fiestas
date   la fecha
to date   datar
daughter   la hija
day   el día
   another day   otro día
   on the next day   al otro día
dear   querido,
      estimado/apreciado (letter
      introduction)
death   la muerte
December   diciembre (m.)
to decide (to + inf.)   decidir + inf.,
      decidirse a + inf.
decorated (with)   ornado (de)
decoration   el decorado
decorative   decorativo
deed   el hecho (cf. fact)
deep   profundo
deeply   profundamente
to defeat   vencer
to delay   tardar (cf. to be late)
delegation   la delegación
de luxe   de lujo
dentist   el dentista
to deny   negar [ie]
department   el departamento
depopulated land   el despoblado
to derive (from)   derivar (de)
to describe   describir (p.p. descrito)
to deserve   merecer
dessert   el postre
detail   el detalle
detergent   el detergente
to develop   desarrollar(se)
development   el desarrollo

to dial   marcar el número
diary   el diario (cf. daily paper)
dictionary   el diccionario
to die   morir [ue–u]
difference   la diferencia
different   distinto
difficult   difícil
dilapidated   destartalado
to dine   cenar
dining room   el comedor
dinner   la cena
   dinner dance   la cena bailable
   dinner jacket   el smoking
to direct   dirigir
direction   la dirección
discotheque   la discoteca
discount   la rebaja (cf. reduction)
to discover   descubrir
      (p.p. descubierto)
to discuss   discutir
dish   el plato
dishevelled   despeinado
to dispense with   prescindir de
      (cf. to do without)
disposal, to have at
   one's   disponer* de
distance   la distancia
distant   lejano
to distinguish   distinguir
distinguished   insigne
district   el barrio
do, how do you?   mucho gusto,
      encantado de conocerle
to do   hacer* (cf. to make)
   to do again   volver [ue] a + inf.
doctor   el médico, el doctor
doll   la muñeca
to dominate   dominar
donkey   el burro
door   la puerta
doorway   el portal
doubt   la duda
   there is no doubt   no cabe
      duda
to doubt   dudar
doubtless   sin duda
down, to come/go   bajar
dozen   una docena
   a dozen eggs   una docena de
      huevos
drawing   el dibujo
to dream (of + pres.p.)   soñar [ue]
      (con + inf.)

213

dress el vestido, el traje (cf. suit)
  dress shop la tienda de modas
to dress (oneself) vestir(se) [i–i]
  dressed in vestido de
drink la bebida
to drink beber
  drink to brindar por (as a
  toast)
to drive conducir* (cf. to lead)
  driver el conductor, el chófer
drum el tambor
to dry secar

E

each cada (m. and f.)
each, one sendos/as (adj.)
early temprano
to earn ganar
easily fácilmente
easy fácil
to eat comer (cf. to have lunch)
economic económico
edition la edición
editorial editorial
eight ocho
eighteen dieciocho
eighth octavo
eighty ochenta
electricity la electricidad
elegance la elegancia
elevated elevado
eleven once
elongated alargado
embrace el abrazo
to embrace abrazar
end el fin
energy la energía
English inglés/esa (n. and adj.)
to enjoy gozar de
  to enjoy oneself divertirse
  [ie–i] (cf. to amuse), pasarlo
  bien
enough bastante
  to be enough bastar
  that's enough basta
enormous enorme
to enter entrar (en)
equally igualmente

to escape (from) escaparse (a) person,
  (de) thing
essay el ensayo
estate la hacienda (cf. farm)
esteemed estimado (cf. dear)
even aun, hasta (cf. until)
evening la tarde (cf. afternoon)
event el acontecimiento
every cada (cf. each)
everyone todo el mundo (cf.
  world)
everything todo (cf. all)
  there's everything hay de todo
everywhere por todas partes
evil el mal (cf. wrong)
ewe la oveja
exact exacto
example el ejemplo
  for example por ejemplo
excellent excelente
except menos (cf. less), sino (cf.
  but)
exception la excepción
exciting emocionante
excuse me perdón
excursion la excursión
  to make an excursion hacer
  excursión
exercise el ejercicio
exhibition la exposición
existence la existencia
exit la salida
exotic exótico
to expect esperar (cf. to wait for,
  hope)
expensive caro
experience la experiencia
to explain explicar
export la exportación
to export exportar
expressive expresivo
exterior el exterior
extract el extracto
extraordinary extraordinario

F

fabric la tela, el género (cf. cloth,
  material)
face la cara
fact el hecho (cf. deed)
factory la fábrica

faithfully, yours le saluda
     atentamente
family la familia
famous famoso
fan (enthusiast) el aficionado
fantastic fantástico
far (from) lejos (de)
farm la hacienda (cf. estate)
farmer el labrador
farmworker el labriego
to fascinate fascinar
fascinated fascinado
fascinating fascinador
fashion la moda
fast rápido (cf. rapid)
father el padre
favour el favor
favourable favorable
favourite favorito
to fear (to + inf.) temer (+ inf.) (cf.
     afraid); tener miedo (a)
feast day la fiesta
feature el rasgo (cf.
     characteristic, trait)
February febrero (m.)
to feel sentir [ie–i] (cf. to be sorry)
     to feel like + pres.p. tener*
     ganas de + inf.
fertile fértil
festival el festival
few, a few unos, algunos, unos
     cuantos, pocos
fiancé el novio (cf. boyfriend)
fickle inconstante
field el campo (cf. countryside)
fifteen quince
fifty cincuenta
figure la figura
film la película
finally por fin, finalmente,
     últimamente
to find encontrar [ue], hallar
fine bien, bueno (cf. well, good)
to finish acabar (cf. just), terminar
fire el fuego
firm firme
     commercial firm la casa de
     comercio, (cf. company); la
     empresa, (undertaking)
first primero
fish el pescado (once caught), el
     pez (alive)
five cinco

five hundred quinientos
to fix fijar
fixed fijo
flamenco el flamenco
flat el piso, el apartamento (cf.
     apartment)
to flee huir*
flight el vuelo
floor el suelo (cf. ground), el piso
     (of a building)
flower la flor
flute la flauta
folkloric folklórico
to follow seguir [i–i] (cf. to
     continue)
following siguiente
     on the following morning a la
     mañana siguiente
foot el pie
     to go on foot ir a pie
football game el fútbol
footstep el paso
for por, para (see Lesson 5)
forehead la frente
foreign land el extranjero
foreigner el extranjero
to forge (metal) forjar
to forget olvidar
formal formal
formed formado
former antiguo (cf. old)
     the former aquél
fortunately afortunadamente
fortune la fortuna
     a small fortune un dineral
forty cuarenta
founded fundado
four cuatro
fourteen catorce
fourth cuarto (cf. room, quarter)
frame el marco
free libre
French francés/esa (n. and adj.)
fresh fresco; natural (of fruit)
     to get some fresh air tomar el
     fresco (cf. air)
Friday viernes (m.)
fried frito
friend amigo/a (m./f.)
     friends amistades (cf.
     acquaintances) (f. pl.)
from de, desde
front, in (of) delante (de)

215

frozen helado
fruit la fruta
full (of) lleno (de)
fun (to have) divertirse [ie–i]
to function funcionar
furnished amueblado
furniture los muebles
  piece of furniture el mueble

G

gallery la galería
garden el jardín
gardener el jardinero
gathering la reunión (cf.
  meeting)
  social gathering la tertulia
general, in en general
gentleman el señor (cf. Sir, Mr)
  young gentleman el señorito
gently mansamente
geography la geografía
geranium el geranio
German alemán/ana (n. and
  adj.)
to get conseguir [i–i]; obtener* (cf.
  to obtain)
  to get up levantarse
girl la muchacha, la chica, la
  niña (child)
to give dar*, regalar (a present) (cf.
  to present)
  to give back devolver [ue] (cf.
  return)
glad (to be—) alegrarse (de)
glance el vistazo
  to glance at echar un vistazo a
glass, small la copita
to go ir*, irse*
  abroad ir al extranjero (cf.
  abroad)
  along pasar por
  away irse, alejarse, partir
  down bajar
  inside entrar para dentro
  into (cf. to enter) entrar en,
  penetrar en
  shopping ir de compras, ir de
  tiendas (cf. shop)

  through pasar por
  out salir de (cf. to leave)
  up subir
  to be going to ir a + inf.
gold el oro
golden dorado
good bueno
  be good enough to tenga la
  bondad de
goodbye adiós
  to say goodbye to despedirse
  [i–i] de
gothic gótico
to govern gobernar
government el gobierno
grandfather el abuelo
grandmother la abuela
grandparents los abuelos
grandson el nieto
grape la uva
grateful (to someone) agradecido
  (a alguien)
green verde
greeting el saludo
grief el dolor (cf. pain)
grilled asado
grocer's shop la tienda de
  ultramarinos
groceries los ultramarinos
grotesque grotesco
ground el suelo (cf. floor)
  ground floor el piso bajo
group el grupo
to grow crecer
guest el convidado
guide el guía

H

hair el pelo
  to set one's hair marcarse el
  pelo
  to wash one's hair lavarse el
  pelo
hairdresser el peluquero
hairdresser's shop/salon la
  peluquería
half medio (cf. means)
hall la sala (cf. dance hall)

hallo hola; diga (on the telephone)
hand la mano
  on the other hand en cambio
handbag el bolso
handkerchief el pañuelo (cf. scarf)
handsome guapo (cf. attractive)
to **hang (up)** colgar [ue]
  to hang up (of the telephone) colgar el aparato (cf. receiver)
happiness la felicidad
harmonious armonioso
harsh ronco
harvest la cosecha
to **hasten** (to + inf.) apresurarse (a + inf.)
hat el sombrero
  three cornered hat (el sombrero) tricornio
to **have** haber (auxiliary used in forming compound tenses); tener*; tomar (of food and drink) (cf. to take)
  to have to (+ inf.) tener que
    deber
    haber de } + inf.
    hay que
headache el dolor de cabeza
health la salud
to **hear** oír*
heart el corazón
heavy pesado
height la altura
help la ayuda
  daily help la asistenta
to **help** ayudar
here aquí
  here is, here are he aquí
  here it is aquí lo tiene
high alto
to **hire** alquilar (cf. rent)
  hire, for de alquiler
  hiring (act of) el alquiler
historical histórico
history la historia (cf. story)
holiday la vacación (usually plural); la fiesta
  today is a holiday hoy es fiesta
  to be on holiday estar de vacación

  to spend a holiday pasar las vacaciones
holidaymaker el veraneante
holy sagrado
  Holy Family la Sagrada Familia
home la casa, el hogar
  to be at home estar* en casa
  to go home ir* a casa
honour la honra
hope la esperanza
  to hope esperar (cf. to wait for, expect)
horrible horroroso
to **horrify** dar horror
horror el horror
hors d'oeuvre los entremeses
hospital el hospital
hot caliente
  it is hot hace calor
  to be hot tener* calor
hotel el hotel
hour la hora (cf. time)
  half an hour una media hora
  rush hour(s) hora(s) punta
  working hours horas laborables
house la casa
how? ¿cómo?
however comoquiera, no obstante, sin embargo
Humanities las letras
humid húmedo
humour la gracia (cf. wit)
hundred ciento (cien)
  a round hundred un centenar de
  hundreds of cientos de
hunger el hambre (f.)
hungry, to be (very) tener* (mucha) hambre
husband el esposo, el marido
hydroelectric hidroeléctrico

I

I yo
ice-cream el helado
identification la identificación
idle ocioso

217

idleness la ociosidad
if si (cf. whether)
ill enfermo
ill-at-ease avergonzado
to **imagine** imaginar
to **imitate** imitar
immediately en seguida, luego,
    (cf. then)
impatiently impacientemente
impenetrable impenetrable
important importante
impossible imposible
to **impress** impresionar
impression la impresión
impressive impresionante
in en
   to **come/go in** entrar
incident el incidente
increase el aumento
independently
    independientemente
to **indicate** indicar
industry la industria
infinity el infinito
to **inform (someone)** poner* al
    corriente (a alguien)
ingredient el ingrediente
innumerable innumerable
inside dentro (de)
to **install** instalar
installation la instalación
instrument el instrumento
intelligence la inteligencia
intelligent inteligente
intention la intención
interest el interés
to **interest** interesar
   what interests me most lo que
    más me interesa
   to take an interest in interesarse
    en/por
interesting interesante
interior el interior
to **interpret** interpretar
to **interrupt** interrumpir
to **introduce** presentar (a person),
    introducir
to **invade** invadir
invitation la invitación
to **invite** invitar
iron el hierro
irregularity la irregularidad
irrigation el riego

island la isla
Italian italiano/a (n. and adj.)

J

jacket la americana (man's), la
    chaqueta
jaguar el jaguar
January enero (m.)
jet el avión de reacción
jewel la joya
jeweller's shop la joyería
job el empleo
journey el viaje
joy la alegría
July julio (m.)
June junio (m.)
jungle la selva
just, (to) have (+ past.p.) acabar
    de + inf.

K

keen (on) aficionado (a)
to **keep** guardar
kidney bean la judía
kilometre el kilómetro
kind amable (cf. worthy)
kindly amablemente
kindness la bondad
king el rey
kiosk el estanco (cf.
    tobacconist's)
kiss el beso
   to **kiss** besar
kitchen la cocina (cf. cooker)
knitwear el género de punto
to **knock** llamar a la puerta (cf. to
    ring)
to **know** saber* (a fact); conocer (to
    be acquainted with)
   to know how to saber

L

laden (with) cargado (cf. loaded)
lady la señora (cf. Mrs, madam)

218

young lady   la señorita (cf. Miss)
lake   el lago
lamp   la lámpara
land   la tierra
language   la lengua, el lenguaje
   modern languages   las lenguas vivas
lap   el regazo
last   pasado (of time) (cf. past)
   last week   la semana pasada
   to last   durar
late   tarde
   to be late   tardar, llegar tarde
later, see you   hasta luego
latest   último
latter, the   éste, ésta
to laugh   reír(se)
law   el derecho
   in-law (of family relationships)   político
   son-in-law   hijo político
lawyer   el abogado
to lead   conducir (cf. to drive)
leaflet   el folleto (cf. brochure)
to learn   aprender
learned   erudito
leather   el cuero
to leave   dejar; salir*
lecture   la conferencia, el discurso (cf. talk)
left (hand side)   la izquierda
   on the left   a la izquierda
leg   la pierna
lemon   el limón
   lemon tree   el limonero
less   menos (cf. minus)
letter   la carta
   letter box   el buzón
   registered letter   el certificado
library   la biblioteca
licence   el permiso (cf. permit)
   (international) driving licence   el permiso (internacional) de conducir
life   la vida
light   la luz
light   ligero
lightning   el relámpago
like   como, igual que (cf. similar)
to like   querer*, gustar
   I like coffee   me gusta el café (see Lesson 5)

to be like   parecerse a
to limit (oneself)   limitar(se)
line   la línea
   line of verse   el verso
lion   el león
to listen to   escuchar
listener   el oyente
literature   la literatura
litre   el litro
little   pequeño (cf. small) (adj.); poco (adv.)
to live   vivir
lively   vivo
livestock   el ganado
living   vivo
loaded (with)   cargado (de) (cf. laden)
local   local
long   largo
to look
   to look at   mirar
   to look for   buscar
to lose   perder [ie]
lottery   la lotería
love   el amor, el cariño (cf. affection)
   to love   querer*, amar
lovely (how lovely!)   ¡qué bien!
low   bajo
luck   la suerte
lucky, to be   tener suerte
luggage   el equipaje
lunch   la comida, el almuerzo (cf. meal)
   to have lunch   comer (cf. to eat), almorzar [ue]
lung   el pulmón
luxurious   lujoso
luxury   el lujo

M

machine   la máquina
machinery   la maquinaria
madam   señora (cf. Mrs, lady)
magnificent   magnífico
maid   la criada
mail   el correo (cf. post)
main   principal
mainland Spain   la España peninsular

219

maize el maíz
majority la mayoría
to **make** hacer* (cf. to do)
man el hombre
to **manage to + inf.** conseguir [i–i]
  + inf. cf. to succeed in, lograr
  + inf. (to achieve)
manner el modo (cf. way)
mantilla la mantilla
many muchos/as
map el mapa
March marzo (m.)
margin el margen
to **mark out** trazar
market el mercado
marriage el casamiento
married
  to be married estar* casado
  to get married casarse
master el amo
Mass la misa
masses of la mar de
match el fósforo
material el género, la tela, (cf.
  cloth, fabric)
May mayo (m.)
mayor el alcalde
meal la comida (cf. lunch)
to **mean** significar
means el medio (cf. half)
  by means of por medio de
meanwhile mientras tanto
to **measure** medir [i–i]; tomar las
  medidas
meat la carne
medicine la medicina
Mediterranean mediterráneo
  (adj. and n.)
medium mediano
to **meet** encontrarse [ue]
meeting la reunión
melon el melón
member el miembro
menu el menú
mercury el mercurio
merit el mérito
metric métrico
midday el mediodía
mild apacible, templado
milk la leche
mineral el mineral
  mineral water el agua (f.)
  mineral

minus menos (cf. less)
minute el minuto
Miss señorita (cf. young lady)
mission la misión
to **moan** gemir [i–i]
model el modelo
modern moderno
moment el momento
  just a moment un momentito
monastery el monasterio
Monday lunes (m.)
money el dinero
month el mes
moon la luna
Moor el moro
more más
  more and more cada vez más
  more or less (poco) más o
  menos
  more than más que (más de
  before numbers)
  more than anything más que
  nada
  the more . . . the more cuanto
  más . . . tanto más
morning la mañana (cf.
  tomorrow)
  a.m. de la mañana
  in the morning por la mañana
  tomorrow morning mañana
  por la mañana
mother la madre
motive el motivo
motorway la autopista
mountain la montaña
mourning el luto
mouth la boca
to **move** mover(se) [ue]
  to move house mudar de casa
  to move oneself trasladarse
Mr señor (cf. sir, gentleman)
Mrs señora (cf. madam, lady)
much mucho (cf. many)
mule la mula
Mummy Mamá
municipal municipal
museum el museo
music la música
must (to have to) tener* que,
  haber de, deber (+ inf.)
  he must be debe de ser
  (supposition)
  one must hay que

N

nail   el clavo
naked   desnudo
name   el nombre
nap   la siesta
  to take a nap   dormir [ue–u] la
    siesta
naturally   naturalmente
near   cerca de
nearby   cercano (adj.)
necessary   preciso
  it is necessary to + inf.   hay
    que + inf.
to need   necesitar
  I have need of   me hace falta
neighbouring   vecino
neither   tampoco
  neither . . . nor   ni . . . ni
  neither one   ni uno ni otro
nephew   el sobrino
never   nunca
nevertheless   sin embargo, no
    obstante (cf. however)
new   nuevo
news   las noticias
newspaper   el periódico
  daily newspaper   el diario
next   próximo, siguiente
  the next day   al próximo día
  next to   al lado de
nice   simpático
night   la noche
  at night   por la noche
  last night   anoche
nine   nueve
nine hundred   novecientos
nineteen   diecinueve
ninety   noventa
ninth   noveno
no   no (cf. not)
no one   nadie
noise   el ruido
normal   regular (cf. regular,
    usual)
north   el norte
  north-west   el noroeste
nose   la nariz
not   no (cf. no)
  not one   ninguno
notably   notablemente
note   la nota
  (to) note   notar

notebook   el cuadernito
nothing   nada
nougat   el turrón
novelty   la novedad
November   noviembre (m.)
now   ahora
  now that   ya que (cf. since)
nowadays   hoy (en) día
number   el número
nut   la nuez
nylon   el nilón

O

oar   el remo
oats   la avena
to observe   observar
to obtain   conseguir [i–i]; obtener*
    (cf. to get, to manage, to
    achieve)
occasion   la ocasión
to occur   tener lugar (cf. place)
October   octubre (m.)
of   de
to offer (oneself)   ofrecer(se)
office   la oficina
often   a menudo
oil   el aceite; el petróleo (cf.
    paraffin)
old   viejo, antiguo (cf. former)
  old age   la vejez
  old man   el viejo
  old woman   la vieja
    to be ten years old   tener*
    diez años
older   mayor ⎫
oldest   el mayor ⎬ cf. bigger
olive   la aceituna
  olive grove   el olivar
  olive oil   el aceite de oliva
  olive tree   el olivo
on   en, sobre
once, for   por una vez
  at once   en seguida
one   un/uno, una (cf. 'a')
oneself   sí
only   solamente, sólo
onwards   en adelante
to open   abrir (p.p. abierto)

opportunity la oportunidad, la ocasión
or o, u
orange la naranja
   orange tree el naranjo
orchestra la orquesta
to **order** mandar (cf. send)
orphan el huérfano
other otro
out of doors al aire libre (cf. air)
outskirts las afueras
outstanding sobresaliente
overcoat el abrigo
to **owe** deber
own propio (before noun)
ox el buey

P

pain el dolor (cf. grief)
painted pintado
painting la pintura
pair la pareja
paper el papel
papered empapelado
paraffin el petróleo (cf. oil)
parcel el paquete
pardon, I beg your perdón (cf. excuse me)
park el parque
part la parte
passenger el pasajero
past pasado (cf. last)
path la senda
patio el patio
pavement la acera
pay el sueldo (cf. salary)
   to pay (for) pagar
peace la paz
peacefulness el sosiego (cf. calm)
peach el melocotón
pearl la perla
peasant el campesino
pedestrian el peatón
   pedestrian crossing el paso de peatones
pen la pluma
pencil el lápiz

peninsular peninsular
people la gente
perfectly perfectamente
perfumed perfumado
perfumery la perfumería
perhaps acaso, quiźas
period (of time) la temporada
permanent permanente
permit el permiso (cf. licence)
   to permit permitir
person la persona
peseta la peseta
pheasant el faisán
phenomenon el fenómeno
photo(graph) la foto(grafía)
   to take photos sacar fotos
phrase la frase
pianist el pianista
picture el cuadro
pill la pastilla
pine tree el pino
pink rosado
pious piadoso
pity, what a qué lástima (cf. shame)
place el lugar, el sitio
   to take place tener lugar (cf. occur)
plain el llano
plan el plan, el proyecto
to **plan** planear
plastic el plástico
plateau la meseta
platform el andén
play (theatrical) la comedia
to **play** tocar (an instrument)
pleasant ameno, grato, (cf. agreeable)
please por favor
to **please** gustar
pleased contento (de + inf., de que + subj.)
   pleased to meet you encantado de conocerle, tanto gusto
   to be pleased alegrarse
plum la ciruela
pocket el bolsillo
poem el poema
poetry la poesía
point, to be on the—of estar a punto de
police la policía

policeman   el guardia
politely   atentamente (cf. yours faithfully)
political   político (cf. in-law)
politics   la política
pony   la jaca
poor   pobre
Pope   el Papa
port   el puerto
porter   el mozo
portrait   el retrato
  self-portrait   el autorretrato
Portuguese   portugués/esa (n. and adj.)
possible   posible
post   el correo (cf. mail)
post office   la Casa de Correos
postcard   la postal
postman   el cartero
potato   la patata
pottery   la cerámica (cf. ceramics)
pound   la libra (cf. sterling)
prayer   la oración
to prefer   preferir [ie–i]
première   el estreno
preparations,   los preparativos
to prepare   preparar
present   el regalo
present day   actual (adj.)
to present   regalar (cf. to give)
president   el presidente
pretty   lindo (cf. attractive)
price   el precio
priest   el sacerdote
private   particular
problem   el problema
procession   la procesión
to produce   producir
product   el producto
production   la producción
professor   el catedrático
programme   el programa
to promote   fomentar
to pronounce   pronunciar
proportion   la proporción
province   la provincia
publicity   la publicidad
publishing firm   la casa editorial (cf. firm)
to pull   arrastrar
pupil   el alumno
pure   puro
purity   la pureza

to put   poner*
pyjamas, pair of   el pijama

Q

quantity   la cantidad
quarter   el cuarto; el barrio (district)
quay   el muelle
to question (someone)   hacer* preguntas (a alguien)
quiet   bajo (of a voice) (cf. low)
  to be quiet   callar(se)

R

radio   la radio
railway   el ferrocarríl
  cable railway   el teleférico
rain   la lluvia
  to rain   llover [ue]
to raise   levantar
range, wide   gran surtido (cf. stock)
rapid   rápido (cf. fast)
rapidity   la rapidez
rapidly   rápidamente
rather, or   o más bien
to read   leer*
real   verdadero (cf. true)
to realise   darse* cuenta de
realistic   realista (m./f.)
really   verdaderamente, a la verdad
reason   la razón (cf. right)
  for what reason?   ¿para qué?
to receive   recibir (cf. welcome)
receiver, telephone   el aparato
  to replace the receiver   colgar [ue] el aparato
recent   reciente
to recognise   reconocer

223

recommendation la
    recomendación
record el disco
  record player el tocadiscos
red rojo, tinto (of wine)
reduction la rebaja (cf. discount)
refrigerator la nevera
regards to recuerdos a
regatta la regata
region la región
regional regional
registration number (of
    vehicle) la matrícula
regular regular (cf. normal,
    usual)
relative el, la pariente
religious religioso
to **remain** quedar(se) (cf. to stay)
remaining restante
to **remember** acordarse [ue] de
to **remove** quitar (cf. to take away)
to **renovate** renovar
renown el renombre
renowned renombrado
to **rent** alquilar (cf. to hire)
repair la reparación
to **reply** contestar, responder
report (newspaper) el reportaje
    (del diario)
representative el representante
to **reproduce** reproducir
to **reserve** reservar
rest, the lo demás
to **rest** descansar(se)
restaurant el restaurante
to **restore** restaurar
return la vuelta
  to return volver [ue] (p.p.
    vuelto), regresar (cf. to do
    again); devolver (to give
    back)
ribbon la cinta
rich rico
  very rich riquísimo
right derecho
  on the right (hand) a la
    derecha
  to be right tener* razón
  (all) right de acuerdo
    (cf. to agree)
to **ring** sonar (of a bell);
    llamar a la puerta (cf. to
    knock)

river el río
road el camino
  main road la carretera
roasted asado (cf. grilled)
to **rob** robar
Roman romano/a (n. and adj.)
roof el techo (cf. ceiling)
room el cuarto, la habitación
  living room la sala de estar
rose la rosa
to **run** correr
rye el centeno

S

sack el saco (cf. bag)
sadness la tristeza
salad la ensalada
salary el sueldo (cf. pay)
'salary to be agreed' 'sueldo a
    convenir'
sale el saldo
salesman el vendedor (cf. seller)
salmon el salmón
same mismo
sand la arena
sandpaper el papel de lija
sandwich el bocadillo
sardine la sardina
satirical satírico
satisfied satisfecho
Saturday sábado (m.)
to **save** ahorrar
savouries (served at a bar) las
    tapas
to **say** decir* (cf. to tell)
scarcely apenas
scarf la bufanda (long woollen);
    el pañuelo (cf. handkerchief)
school, primary la escuela
  secondary school el colegio, el
    instituto
Scottish escocés/esa (n. and adj.)
screw el tornillo
sea el mar, la mar
seat el asiento; la localidad
    (theatre, bullring, etc.)
second segundo
  second hand de ocasión
secretarial work el secretariado

secretary la secretaria
to see ver*
   let's see a ver
to seem parecer
to sell vender
   seller el vendedor (cf. salesman)
to send enviar; mandar (cf. order)
   September setiembre (m.)/
      septiembre
   serenity la serenidad
   serious serio
   seriously seriamente, en serio
to serve servir [i–i]
   service el servicio
to set off marcharse, ponerse en
      marcha
to set one's hair marcarse el pelo
      (cf. hair)
to settle in instalarse
   seven siete
   seven hundred setecientos
   seventeen diecisiete
   seventh séptimo
   seventy setenta
   several unos, varios (cf. some)
   severity la severidad
   shade la sombra
   shaded sombrío
   shadow la sombra
   shame, what a ¡qué lástima! (cf.
      pity)
to shave afeitarse
   sheep el carnero
   shell la concha
to shine brillar
   ship el buque, el barco (cf. boat)
   shoe el zapato
     shoe-shine boy el limpiabotas
   shop la tienda
     shopkeeper el tendero
     shop window el escaparate
to shop ir de compras, ir de tiendas
   short bajo, corto
     in short en fin
to shout gritar
to show mostrar [ue], enseñar
   shutter la contraventana
   side el lado
   sign la señal
   silently silenciosamente
   silk la seda
   silver la plata
   similar to igual que

   simple sencillo
   since como (cf. as); desde; ya
      que
to sing cantar
   sir señor (cf. Mr, gentleman)
   sister la hermana
to sit, to sit down sentarse [ie]
     to be sitting down estar
      sentado
   situated situado
   six seis
   sixteen dieciséis
   sixth sexto
   size el tamaño
to ski esquiar
   ski pants pantalones de
     esquiar
   skirt la falda
to sleep dormir [ue–u]
   slowly lentamente
   small pequeño (cf. little)
   smaller menor ⎫
   smallest el menor ⎬ (cf. younger)
to smile sonreír*
   smiling sonriente
to smoke fumar
   smoked ahumado
   smoker, non- 'no fumadores'
   snow la nieve
   so tan; así (cf. thus)
     so much, so many tanto
     so that así que
to sob sollozar
   social social
   sole (fish) el lenguado
   some unos, algunos, unos varios
      (cf. several)
   someone alguien
   something algo
   somewhat more algo más
   son el hijo
     son-in-law el hijo político
      (cf. in-law)
   song la canción
   soon pronto
     as soon as tan pronto como;
      luego que
   sorbet el sorbete
   sorry perdón
     (to) be sorry sentir [ie–i] (cf. to
      feel)
     I am sorry lo siento
   soul el alma (f.)

soup   la sopa
south   el sur
Spanish   español/a (n. and adj.)
spare   de repuesto
to **speak**   hablar
speaking, who is—?
   (telephone)   ¿de parte de
      quién?
special   especial
to **speed up**   acelerar
to **spend**   gastar; pasar (of time)
spite, in—of   a pesar de
splendid   espléndido
sport   el deporte
   sports wear   la ropa de
      deportes
   winter sports   el deporte de
      nieves
   spring (season)   la primavera
   square   la plaza; cuadrado
   stairs   la escalera
   stall   el puesto
   stamp   el sello
to **stand out**   destacarse
state   el estado
station   la estación
statue   la estatua
to **stay**   quedar(se) (cf. to remain)
   staying   hospedado
steel   el acero
sterling   esterlina
   pound sterling   la libra
      esterlina
still   aún, todavía (cf. yet)
still   quieto
   to keep still   estar quieto
stock   el surtido
stone   la piedra
to **stop**   parar(se)
store   el almacén
story   la historia (cf. history)
straight   recto; directo
strange   raro
   how strange   ¡qué raro!
stripe   la raya
stroll   el paseo (cf. walk)
to **take a stroll**   dar* un paseo,
      pasear (cf. walk)
strong   fuerte
student   el estudiante
student   estudiantíl
study   el estudio, el gabinete
   to study   estudiar

to follow a study
   course   cursar
style   el estilo
subject   el asunto
substantial   amplio
to **substitute**   substituir*
suburbs   las afueras
      (cf. outskirts)
to **succeed in + pres.p.**   conseguir
      [i–i] + inf.; lograr + inf.
to **suffer (from)**   sufrir (de)
sufficient   suficiente
suitable   conveniente
suitcase   la maleta
summer   el verano
   to spend the summer
      (holiday)   veranear
summit   la cumbre
sun   el sol
to **sunbathe**   tomar el sol
supermarket   el supermercado
sure   seguro
   to be sure   estar seguro
surface   la superficie
suit   el traje (cf. dress)
surname   el apellido
surprise   la sorpresa
   to surprise   sorprender
surroundings   los alrededores
sweet shop   la dulcería
to **swim**   nadar
swimming pool   la piscina
swimsuit   el bañador
sword   la espada
system   el sistema

T

table   la mesa
table cover   el tapete
   to clear the table   levantar la
      mesa
   to lay the table   poner* la mesa
tailor   el sastre
tailor's shop   la sastrería
to **take**   tomar (cf. to have) (food
      and drink)
   to take (a person)   llevar (cf. to
      wear, to carry)
   to take away   quitar (cf. to
      remove)

226

to take out sacar (cf. to buy)
talent el talento
talk el discurso (cf. lecture)
to tan, to get a tan broncearse
tape measure la cinta métrica
task el quehacer (cf. chore)
taste el gusto
  of (good) taste de buen gusto
taxi el taxi
tea, to have merendar [ie], tomar
  una merienda
to teach enseñar
teacher el profesor, la profesora
tear la lágrima (cf. to weep)
to telephone telefonear, llamar por
  teléfono
television la televisión
  television set el televisor
to tell contar [ue] (cf. decir)
ten diez
tender tierno
tenth décimo
term el trimestre
terrace la terraza
terrible terrible
textile el tejido
textile (adj.) textil
to thank agradecer, dar* las gracias
  thank you gracias
thanks el agradecimiento
  thanks to gracias a
that que
  that (adj.) aquel, ese, etc.
  that one (pron.) aquél, ése, eso
theatre el teatro
then entonces, luego
  (cf. immediately)
there allí
  over there allá
  there is/there are hay
thing la cosa
to think (of, about) pensar [ie] (de,
  en); creer (cf. to believe)
third tercero
thirst la sed
thirsty, to be tener* sed
thirteen trece
thirty treinta
this (adj.) este, esta
this (pron.) éste, ésta, esto
thousand mil
  about one thousand un millar
  de

thousands of miles de
three tres
to throw echar
Thursday jueves
thus así
ticket el billete; la entrada
  to buy a ticket (theatre,
    etc.) sacar una entrada
    (cf. to buy)
  ticket collector el revisor
  ticket office la taquilla
tidiness la nitidez
tie la corbata
tile la teja; el azulejo
tiled roof el tejado
timbre (of voice) el timbre
time la vez (cf. occasion); la
  hora; el tiempo
  at the same time a la vez
  for the first time por primera
  vez
  from time to time de vez en
  cuando
  three times a day tres veces
  por día
  a long time mucho tiempo
  to take a long time (+ inf. or
  pres.p.) tardar (en + inf.)
  What is the time? ¿Qué hora es?
tip la propina
tired cansado
to a
to toast brindar por (cf. to drink to)
tobacconist's shop el estanco
  (cf. kiosk)
today hoy
to tolerate tolerar
tomato el tomate
tomorrow mañana
  the day after tomorrow pasado
  mañana
too (adv.) demasiado
  too much/many
    (adj.) demasiado
tooth el diente
topic el asunto (cf. subject)
tortoise la tortuga
tour el recorrido
tourism el turismo
tourist el turista
tourist turístico (adj.)
towards hacia
tower la torre

227

town   la ciudad
Town Hall   el Ayuntamiento
township   la población
toy   el juguete
tractor   el tractor
trade   el comercio (cf. commerce)
trader   el comerciante
traditional   tradicional
traffic   el tráfico, la circulación
tragedy   la tragedia
train   el tren
trait   el rasgo (cf. characteristic, feature)
tranquility   la tranquilidad
to **translate**   traducir
transparent   transparente
to **travel**   viajar
   to travel along, through   recorrer por
travel agency   la agencia de viajes
traveller   el viajero
travelling bag   el maletín
tree   el árbol
   fruit tree   el árbol frutal
to **tremble**   temblar [ie]
tropical   tropical
tropics   los trópicos
trousers   el pantalón
true   verdadero (cf. real)
   it is true   es verdad
trust   la confianza (cf. confidence)
truth   la verdad
to **try (to + inf.)**   intentar (+ inf.), tratar (de + inf.); probar [ue] (of food or clothes)
Tuesday   martes (m.)
to **turn**
   to turn out to be   resultar
   to turn up   acudir (cf. to come along)
turtle soup   consomé de tortuga
twelve   doce
twenty   veinte
   twenty-one   veintiuno (veintiún)
   twenty-two   veintidós
   twenty-three   veintitrés
twisted   torcido
two   dos
type   el tipo, la clase (cf. class)
typical   típico

U

ugly   feo
uncle   el tío
uncultured   inculto
'underdogs, the'   los de abajo
Underground   el Metro
   entrance to the Underground   la boca de Metro
underneath   debajo de
to **understand**   comprender, entender [ie]
undertaking   la empresa (cf. firm)
underwear   la ropa interior
unintentionally   sin querer
university   la universidad
until   hasta (cf. even)
unusual   poco común, raro
up, (to) come/go   subir
to **use**   emplear, usar
useful   útil
usual   común, regular (cf. regular, normal)

V

valiant   valiente
valley   el valle
vanished   desvanecido
varied   variado
vegetable   la legumbre
vegetable (adj.)   vegetal
verse   el verso
very   muy
view   la vista
   point of view   el punto de vista
village   el pueblo
visit   la visita
   to visit   visitar
visitor   la visita
voice   la voz
   quality of voice   el timbre
volcano   el volcán
volume   el volumen

W

to **wait for**   aguardar, esperar (cf. to
    hope, expect)
to **wake up**   despertar(se) [ie]
walk   el paseo
    to take a walk   dar* un paseo
    (cf. stroll)
to **walk**   andar, ir* a pie (cf. go on
    foot)
wall   la muralla (external), la
    pared (internal)
to **want**   querer* (cf. to love), desear
war   la guerra
to **wash (oneself)**   lavar(se)
washing machine   la lavadora
water   el agua (f.)
    to water   regar [ie]
wave (permanent)   la onda
    (permanente)
way   el modo, la manera
    (cf. manner)
    in a way   de una manera
    in no way   en nada
    this way   por aquí
to **wear**   llevar
weather   el tiempo
    the weather is good   hace buen
    tiempo
wedding   la boda
Wednesday   miércoles (m.)
week   la semana
weekend   el fin de semana
to **weep**   llorar
welcome   la acogida, la
    bienvenida
welcome   bienvenido (adj.)
    to welcome (someone)   dar* la
    bienvenida (a alguien),
    recibir
well   bien
    well then   pues
West, the   el oeste
western   occidental
what   lo que; ¿qué?; ¡Cómo!
wheat   el trigo
when   cuando; ¿cuándo?
whenever   cuandoquiera
where   donde; ¿dónde?
wherever   dondequiera
whether   si (cf. if)

which   que, quien, el que, el
    cual, ¿qué? ¡cuál?
while   mientras (que)
    a short while   un rato
    in a short while   al poco rato
whistle, blast on a   el pito
who   que, quien, el que, el cual,
    ¿quién?
whoever   quienquiera,
    quienesquiera
wholesale   al por mayor
whom   que, quien
whose   cuyo; ¿de quién?
why   ¿por qué?
wide   ancho
wife   la esposa, la mujer
    (cf. woman)
will   la voluntad
wind   el viento
window   la ventana; el
    escaparate (of shop)
windy, it is   hace viento
wine   el vino
    ordinary wine   vino corriente
    red wine   vino tinto
    table wine   vino de mesa
wing   el ala (f.)
winter   el invierno
to **wish for**   querer*, desear
wit   la gracia (cf. humour)
with   con
    with me   conmigo
    with him, her, you   consigo
    (see Lesson II)
    with you   contigo
without   sin
    to do/go without   prescindir
    de (cf. dispense with)
woman   la mujer
to **wonder**   preguntarse
wonderfully well   a maravilla
wood   la madera
wool   la lana
word   la palabra
work   la obra; el trabajo; la labor
    to work (as a secretary)   trabajar
    (de secretaria)
worker, workman   el obrero
workshop   el taller
world   el mundo
worldwide   mundial
worried   preocupado
to **worry (about)**   preocuparse (de)   **229**

worse   peor
worst   el peor
worth, to be   valer*
   it is worth the effort (to +
      inf.)   vale la pena (+ inf.)
worthy   amable
to wrap up   envolver [ue]
to write   escribir (p.p. escrito)
wrong   el mal (cf. evil)

yes   sí
yesterday   ayer
   the day before yesterday
      anteayer
yet   aún, todavía (cf. still)
young   joven
   young person   joven (m./f.)
younger   menor ⎫
youngest   el menor ⎭(cf. smaller)
youth   la juventud; la gente
      joven; el joven

Y

year   el año
   New Year   el Año Nuevo
yellow   amarillo

Z

zero   cero

Index of Grammar and Usage

231